S0-AXT-870

L'ombre de cette pensée

Du même auteur :

— *Une généalogie du spiritualisme français. Aux sources du bergsonisme : Ravaison et la métaphysique*, La Haye, Nijhoff, 1969.

— *Hegel et le destin de la Grèce*, Paris, Vrin, 1975.

— *La métaphysique à la limite. Cinq études sur Heidegger*, Paris, P.U.F., 1983 (en collaboration avec Jean-François Mattéi).

— *La puissance du rationnel*, Paris, Gallimard, 1985.

Dominique Janicaud

L'ombre de cette pensée

Heidegger et la question politique

JEROME MILLON

Couverture : François Millon
Acrylique sur papier de verre (Sans titre - 1989)

Isbn : 2 905614 35 8

A la mémoire d'Hélène RANGER
et de Paul LAMBERT

Chapitre 1

Comment s'en débarrasser ?

MADELEINE : On s'en passerait de sa beauté encombrante. (*On entend de légers craquements en provenance de la pièce de gauche*). Tu entends ?

AMÉDÉE : Il grandit. C'est normal. C'est sa crise de croissance.

MADELEINE : Tu le prends pour un arbre ! Il ne se gêne pas ! Il va occuper toute la place ! Où est-ce que je vais le mettre ? Ça t'est bien égal à toi. Ce n'est pas toi qui t'occupes du ménage !

AMÉDÉE : Bien sûr, il nous cause beaucoup d'ennuis. Pourtant, il m'impressionne, malgré tout. Quand je pense...

MADELEINE : Tu vas encore trouver des raisons pour rester là à ne rien faire... Va donc écrire !...

AMÉDÉE : Oui !... oui !...

Eugène Ionesco, *Amédée ou comment s'en débarrasser.*

«— Monsieur le Professeur Heidegger, nous avons toujours constaté qu'une *ombre* pesait quelque peu sur votre œuvre philosophique à cause d'événements de votre vie qui n'ont pas duré très longtemps et qui n'ont jamais été vraiment éclaircis[1].»

1. Martin Heidegger, «Nur ein Gott kann uns retten», *Der Spiegel*, 1976, n° 23, p. 193 ; *Réponses et questions sur l'histoire et la politique*, trad. Jean Launay, Paris, Mercure de France, 1977, p. 9.
Dans le texte allemand, la tournure est verbale (*umschattet*) : les journalistes du *Spiegel* disent littéralement à Heidegger : «Votre œuvre est quelque peu ombrée...».

Ainsi commence l'entretien d'outre-tombe que Heidegger accorda en 1966 aux journalistes du *Spiegel.* Heidegger n'y conteste pas le bien-fondé de cette métaphore (au demeurant familière et euphémique, du moins dans le contexte de l'entretien) appliquée à son engagement politique, métaphore devenue banale sous la plume de ses partisans comme de ses adversaires[2]. C'est que l'ombre peut être légère et fugitive, mais aussi dense et tenace ; mystérieuse et presque belle, ou vertigineusement sinistre. L'ombre de cette pensée, il ne suffit pas de savoir que c'est le nazisme ; il faut en déterminer la densité et les vibrations, suivre les contours qui la départagent des pages éblouissantes de l'œuvre.

Il n'est jamais exaltant de trouver de l'ombre au tableau de la grandeur ; et il est vexant de s'avouer plus ou moins floué, même

---

La lecture de la correspondance Heidegger-Kästner éclaire les circonstances de l'entretien. Il en ressort que l'initiative n'en revient nullement à Heidegger, fort réticent à se justifier et n'estimant guère le *Spiegel.* Kästner a dû beaucoup insister et presque tout préparer. Voir Martin Heidegger-Erhart Kästner, *Briefwechsel*, Frankfurt, Insel, 1986, p. 79 sq.

On peut se demander si Kästner a eu raison — malgré ses bonnes intentions — de «forcer la main» à Heidegger, dans la mesure où le projet («faire une fois pour toutes litière des calomnies insensées» écrit Kästner, *op. cit.*, p. 79) limitait d'emblée l'objectif de l'entretien à celui d'une défense personnelle. Mais Heidegger, ayant ensuite soigneusement revu le texte, aurait pu lui-même en approfondir les présupposés et les perspectives, aussi bien sur le nazisme que sur la question du génocide. Rien ne l'empêchait non plus de rédiger, par ailleurs, un «testament philosophique». Il a donc délibérément choisi de s'abriter, en quelque sorte, derrière cette occasion, pour ne pas en dire plus. Quelques passages de cette correspondance trahissent ses sentiments quant à la question qui nous intéresse ici : l'amertume d'être incompris («Qui ne peut attaquer le raisonnement attaque le raisonneur» : cette réflexion de Valéry est transposée par Heidegger à son propre cas : *op. cit.*, p. 83), la préférence délibérée pour le silence («Souvent le silence est le meilleur parti que l'homme puisse imaginer» : v. 32-33 de la *Cinquième Néméenne* de Pindare, cités p. 69), un pessimisme désillusionné sur le destin de puissance de la techno-science, servant de prétexte à une relative (mais injustifiable) indulgence envers le national-socialisme : «Ce qu'est entre-temps devenue et deviendra encore «la science» est incomparablement plus ruineux et plus inquiétant que les simplismes (*die primitiven Auslassungen*) du national-socialisme sur la science» (*op. cit.*, p. 84).

2. Ainsi, par exemple, François Fédier, «L'intention de nuire», *Le Débat*, janv-fév. 1988, n° 48, p. 141 ; Philippe Lacoue-Labarthe, *La fiction du politique*, Paris, Bourgois, 1987, p. 152 ; Georges-Arthur Goldschmidt, *La Quinzaine Littéraire*, 1-15 nov. 1987, n° 496, p. 10.

si l'on n'a pas été le seul. En ce sens, ce livre fut écrit à contre-cœur. Mais il a aussi été écrit avec, au cœur, la volonté de faire sereinement face à une tâche qui, excédant le cas personnel de Heidegger, met en jeu notre capacité à assumer le terrible legs de ce siècle et à nous préparer à penser, sur des bases renouvelées, le rôle de la rationalité philosophique dans la Cité.

C'est dire qu'au-delà de «l'affaire Heidegger», de ses acquis documentaires et de ses prolongements polémiques en France, mais aussi dans d'autres pays, notamment en Allemagne fédérale et aux Etats-Unis[3], le dossier est plus que jamais ouvert. Ses enjeux sont philosophiques. Si l'on commence à prendre conscience que la fièvre historiographique, si justifiée soit-elle, laisse en suspens les questions sans doute les plus décisives à cet égard, on est encore loin d'éclairer celles-ci de réponses totalement satisfaisantes. Pourtant, la quantité des publications est déjà considérable et l'on ne peut nier qu'une remarquable ingéniosité s'y soit parfois déployée. Si tout n'est pas encore dit ni suffisamment pensé, la raison en réside dans la nature même de l'imbroglio ; ses ressorts en furent philosophiques, mais leurs présuppositions les ont liés à l'histoire où ils se sont insérés et réinterprétés. En outre, cette pensée complexe en évolution incessante dans un tourbillon historique sans précédent ne s'est pas livrée en bloc, transparente, à sa «réception». L'accroissement de nos informations ne concerne pas seulement des détails biographiques, des documents d'archives, des témoignages, des lettres, mais surtout l'œuvre elle-même dont les *Œuvres complètes* dévoilent peu à peu la masse. Deux exemples : n'a paru qu'en 1989 un manuscrit décisif écrit à partir de 1936, les *Beiträge zur Philosophie* ; en revanche, le cours du semestre d'été 1933 sur «La question fondamentale de la philosophie» est encore inédit. Le travail critique et philosophique exige un ajustement constant entre les hypothèses de départ et ces apports documentaires dont il faut sélectionner l'essentiel. Compte tenu de ces difficultés, il s'agira ici surtout de

3. Cf. L'édition allemande du livre de Farias préfacée par Habermas (Francfort, Fischer, 1989) et l'édition américaine préfacée par J. Margolis et T. Rockmore (Philadelphie, Temple University Press, 1989). Voir aussi les textes et témoignages recueillies par Bernd Martin, *Martin Heidegger und das «Dritte Reich»*, Darmstadt, Wissenschaftliche Buchgesellschaft, 1989.

comprendre comment la pensée de Heidegger s'est exposée, puis liée, à un danger qui n'est pas seulement ponctuel, et de tester une hypothèse explicative concernant les présuppositions, maintenues jusqu'au bout, d'une prise de position qu'on avait crue plus limitée. La présente tentative n'est certes pas la première à attaquer le versant philosophique de la chaîne politique du massif heideggerien ; elle s'inscrit au sein d'un débat qui ne date pas de «l'affaire», mais qui en a subi l'intensification. Du recul, nous en avons maintenant besoin pour reprendre et approfondir la discussion.

Le livre de Farias n'a-t-il eu que des effets pervers : agitation médiatique et calomnies ? Etrange paradoxe : il ne saurait faire autorité ni historiquement ni philosophiquement (trop d'erreurs ou d'approximations ; trop de clichés et de schémas réducteurs : nous y reviendrons) ; cependant, ce livre mal ficelé (du moins, en sa première édition française), en soutenant une thèse impressionnante par son caractère élémentaire, a obligé à reposer (et repenser) la question fondamentale de la relation d'une grande pensée à son engagement politique. Ce fut une sorte d'électrochoc philosophique, coïncidence étrange d'une thérapeutique dépassée et de questions abyssales ! Même confus, parfois mesquin et excessivement «réactif», ce débat peut être salutaire, s'il permet de mieux comprendre un passé douloureux encore glissé dans notre présent, mieux penser aussi la question éthique qui sous-tend tout engagement.

De toute façon, une réévaluation critique était amorcée, à partir du moment où, dès 1983, date de la republication par Klostermann du *Discours de Rectorat* augmenté d'un texte justificatif datant de 1945[4], les recherches de l'historien Hugo Ott, relayées philosophiquement par Otto Pöggeler[5], conduisaient à mettre en doute la totale justesse de la «version officielle» mise au

4. Martin Heidegger, *Die Selbstbehauptung der deutschen Universität. Das Rektorat 1933/34*, Frankfurt, Klostermann, 1983.

5. Otto Pöggeler, «Den Führer führen ? Heidegger und keine Ende», *Philosophische Rundschau*, 1985, pp. 26-67 ; «Heidegger politisches Selbstvertändnis», *Heidegger und die Praktische Philosophie*, Frankfurt, Suhrkamp, 1988, pp. 17-63. Dans ce dernier volume, Hugo Ott résume ses recherches («Martin Heidegger und der Nationalsozialismus», pp. 64-77) et en donne la bibliographie (p. 75).

point par Heidegger en 1945 et défendue jusque dans l'entretien posthume du *Spiegel* [6], à partir du moment aussi où — volume après volume — la *Gesamtausgabe* révélait l'enseignement de Heidegger dans sa continuité, sa progression, mais également ses allusions plus ou moins directes à l'actualité. Il n'est pas tout à fait exact qu'on «savait déjà tout cela». De fil en aiguille, un mensonge prouvé entraînant la correction d'une omission[7], le personnage était atteint, les dénégations devenaient suspectes, l'éclairage changeait. C'est bien ce qui s'est produit : Farias est un peintre médiocre qui a brossé à la hâte (mais non sans labeur) un portrait de «Heidegger en nazi» et soudain — ne fût-ce qu'un instant — ce portrait a eu une ressemblance effrayante. Faut-il, comme Dorian Gray vieillissant, lacérer le tableau ?

6. *Der Spiegel*, n° 23, 1976, pp. 193-219 ; trad. Jean Launay, Paris, Mercure de France, 1977.

7. Notre propos n'étant pas de reprendre et de discuter dans le détail l'ensemble de ces rectifications, signalons seulement les principales d'entre elles, sur deux axes : les faits ; l'enseignement. Au premier point de vue, la mémoire de Heidegger a été infidèle ou sélective : Ott a prouvé l'existence de tractations politiquement orientées et antérieures à l'élection au Rectorat ; celle-ci n'a pas eu lieu exactement à l'unanimité, mais s'est faite sans vote hostile par 52 voix sur 56, mais en l'absence des 13 professeurs juifs suspendus depuis peu ; Heidegger a ensuite justifié son action comme visant à préserver l'autonomie de l'Université, mais il y a bel et bien introduit le *Führerprinzip* le ler octobre 1933 ; il semble avoir porté la croix gammée et fait le salut «Heil Hitler» à la fin de ses cours, au moins jusqu'en 1936 ; la surveillance dont il a été l'objet dans son enseignement était banale à l'époque et ne prouve pas qu'il était aussi suspect qu'il l'a prétendu par la suite ; de même pour l'envoi en 1944 sur les travaux de fortification du Rhin : l'intervention d'Eugen Fischer n'était pas connue et change du tout au tout l'éclairage porté sur cet épisode (sur tous ces points, voir le livre de Hugo Ott, *Martin Heidegger. Unterwegs zu seiner Biographie*, Frankfurt/New York, Campus Verlag, 1988, ainsi que le très précis article de Thomas Sheehan, «Heidegger and the Nazis», *The New York Review of Books*, 16 juin 1988, pp. 38-47). En ce qui concerne l'enseignement, bornons-nous pour l'instant à trois repères significatifs : le témoignage d'Hartmut Buchner atteste que la parenthèse de 1953 atténuant la portée de la reconnaissance de la «vérité interne et la grandeur» du national-socialisme n'existait pas dans le texte du cours de 1935, contrairement à ce qu'affirme Heidegger dans l'entretien au *Spiegel, trad. fr. cit.*, p. 41 (voir N. Tertulian, *La Quinzaine Littéraire*, 15-31 déc. 1987, p. 23). D'autre part, ni le commentaire qui suit la défaite de la France en 1940 (*Nietzsche, trad. fr.*, II, pp. 33-134) ni la diatribe contre l'entrée en guerre des Etats-Unis en 1942 (*Gesamtausgabe*, 53, p. 68) ne sont précisément les propos qu'on attendait d'un opposant au régime.

Mais ressemblance et vraisemblance ne signifient pas vérité intégrale ; et il n'y a pas qu'une vérité d'un personnage qui réussit à se faire sacrer le «roi secret dans le royaume du penser», selon l'expression d'Hannah Arendt[8]. Un jour peut-être écrira-t-on le grand «roman de culture» qui permettra de revivre de l'intérieur l'évolution spirituelle du «roi de la pensée», désormais Martin le Maudit. J'ai d'autant moins cette prétention que je voudrais situer le débat à un niveau qui n'est principalement ni biographique ni moral. Egréner les faits et les incidents de la vie d'un philosophe pour juger de sa philosophie, c'est s'atteler à une tâche indéfinie, car une foule d'autres faits nous resteront inconnus ; même quand ce travail, mené avec le plus grand sérieux, obtient de beaux résultats (c'est le cas de la biographie de Nietzsche par Curt-Paul Janz)[9], il laisse subsister un écart inéliminable et cruellement frustrant entre les conditions de la pensée et la pensée elle-même ; il risque d'oublier qu'une «pensée excède ses contextes»[10] — surtout si cette pensée est originale. De plus, ce genre de travail incite à porter des jugements moraux, d'autant plus définitifs et sévères que les lecteurs sont plus extérieurs à la vie en question et que cette condamnation leur donne bonne conscience. De quel droit nous accordons-nous le regard de Dieu sur une vie ? L'empressement à isoler une «victime émissaire» ne mérite-t-il pas toujours d'être suspecté ?

Le prestige et le silence

Un élément décisif du «scandale Heidegger» tient au statut acquis par quelques maîtres à penser dans la vie culturelle française. Le débat déborde largement la philosophie au sens strict : politique, il ravive des souvenirs qui n'ont qu'un demi-siècle ; surtout, il vient éradiquer des habitudes mentales plus encore que des allégeances, donnant à beaucoup l'impression qu'ils ont été intellectuellement escroqués. Mais pourquoi croire en un philosophe ? La fidélité et la

8. Hannah Arendt, *Vies politiques*, Paris, Gallimard, 1974, p. 310.

9. Curt-Paul Janz, *Nietzsche. Biographie*, trad. Marc B. de Launay, etc., Paris, Gallimard, 1984-85, 3 vol.

10. Jean-François Lyotard, *Heidegger et «les Juifs»*, Paris, Galilée, 1988, p. 97.

confiance béate seraient-elles des vertus philosophiques qui prévaudraient sur le sens critique et le seul souci de la vérité ? Si la foi est en cause, la mauvaise foi n'est pas loin. Jusqu'à une date récente, à tort ou à raison, on fut marxiste ou libéral comme on était catholique ou protestant au XVIe siècle. Nos conflits philosophiques sont heureusement (en France) moins sanglants que ne le furent les guerres de religion ; mais comment oublier que la dernière guerre mondiale et les conflits locaux survenus depuis furent des affrontements idéologiques en même temps que des luttes pour la puissance ? Dans ce jeu mondial, l'«heideggerianisme» a pesé extrêmement peu : de l'aveu général, la tentative faite par Heidegger — à partir de 1933 — de jouer Hitler contre le Parti a été un échec complet ; et si peu à peu, après 1945, le nombre des admirateurs s'est accru, en France et aux Etats-Unis principalement, il n'a jamais vraiment débordé les franges des cercles académiques. En termes sociologiques, l'«heideggerianisme» est une secte infime ; encore n'a-t-elle rien d'homogène. Il ne faut pas prêter rétrospectivement à Jean Beaufret et à ses anciens élèves plus d'influence qu'ils n'en eurent. L'«heideggerianisme» français — pour autant que cette étiquette fasse sens — a été et reste une mosaïque extrêmement diverse et aux frontières mouvantes ; il n'est que de consulter le *Cahier de l'Herne* sur Heidegger pour s'en convaincre[11].

Le débat ne prend ce tour que pour la raison suivante : depuis au moins trois siècles, la philosophie occidentale a très largement capté l'autorité dogmatique et le rayonnement moral qui furent si longtemps les privilèges de l'Eglise. Sans doute l'autorité n'est-elle plus formelle et le rayonnement moral se fait-il indirect ; mais l'opinion intellectuelle ne peut s'empêcher de reconnaître au philosophe — surtout dès qu'il est sacré «grand» — une valeur personnelle exceptionnelle, transcendant les prouesses de l'intelligence. Spinoza, Kant, Lagneau sont presque des saints laïcs. Quand la morale conventionnelle n'est plus l'aune adéquate, on se soucie de l'honneur de Hegel, on interroge l'inquiétante grandeur de Nietzsche. On donne donc son assentiment, presque sa foi, non

11. *Martin Heidegger*, cahier n° 45, sous la direction de Michel Haar, Paris, L'Herne, 1983.

simplement à telle ou telle proposition, ou telle maxime, mais à une figure qui devient emblématique d'une vision du monde et d'un style éthique. Cette disposition psychologique et intellectuelle a été puissamment renforcée, depuis 1917 au moins, par «l'idéologisation» de la philosophie : à partir du moment où les «valeurs» deviennent les enjeux d'un combat mondial entre le camp du socialisme (avec son idéologie, le marxisme-léninisme) et le camp «bourgeois» (en quête de répliques efficaces), toute percée philosophique se trouve — qu'on le veuille ou non — impliquée dans cette lutte idéologique. On l'a vu avec Bergson entraîné, peut-être malgré lui, dans le camp conservateur. Sartre n'est pas un contre-exemple : obligé de se «repositionner» sans cesse à l'extrême-gauche pour se faire pardonner son individualisme petit-bourgeois, il a pleinement assumé le rôle de gourou laïque, en son anticonformisme même.

Depuis la Libération, les esprits apparemment les plus critiques n'ont pu échapper à cette règle. Dès lors que Heidegger devenait un maître en existentialisme, il ne pouvait être un «salaud» (épithète sartrienne). Dès 1960, Heidegger avait le statut d'un classique de la philosophie (et il était édité comme tel chez Gallimard dans la collection portant ce titre, ainsi que dans la «Bibliothèque de Philosophie»). Comment n'aurait-il pas bénéficié de la confiance (plus que minimale) accordée par principe à un «grand penseur» ? A coup sûr, l'engagement de 33 ternissait la grandeur du Maître ; mais que pèsent dix mois d'erreur en comparaison d'une vie de pensée ? Certes, Heidegger avait publié en 1953, dans l'*Introduction à la métaphysique,* une phrase, datant de 1935, sur «la vérité interne et la grandeur» du national-socialisme, mais la parenthèse sur «la rencontre de l'homme moderne et de la technique déterminée planétairement»[12] en faisait moins une allégeance qu'une étape dans une méditation plus ample et tournée vers l'avenir. Sans doute, en 1962, Guido Schneeberger avait-il publié à Berne sa *Nachlese zu Heidegger*[13], mais son dossier (textes et documents des années 33-34) ne permettait pas vraiment

12. Martin Heidegger, *Einführung in die Metaphysik*, Tübingen, Niemeyer, 1953, p. 152 ; *Introduction à la métaphysique*, trad. G. Kahn, Paris, PUF, 1958, p. 213.

13. Guido Schneeberger, *Nachlese zu Heidegger. Dokumente zu seinem Leben und Denken*, Berne, 1962.

d'infirmer la thèse des «dix mois», et puis l'on murmurait — en réponse aux questions indiscrètes ou aux polémiques — que Heidegger laisserait un texte d'outre-tombe où il s'expliquerait, où il trouverait les mots justes et définitifs qui mettraient à jamais fin à tout malaise. Heidegger est mort en 1976 et l'entretien accordé dix ans plus tôt au *Spiegel* a paru[14] : rien de scandaleux à première vue dans ce texte plutôt anodin, mi-anecdotique, mi-répétitif. Allait-on en rester là ? Le silence quand même, ce silence si étrange (et même «atroce», me disait George Steiner) sur le génocide ne pouvait être passé aux profits et pertes. Il ne soulevait pas une difficulté qu'on pût circonscrire facilement, encore moins un problème qu'on pût «résoudre»[15]. Ce silence, Celan ne fut pas le seul à s'y heurter ; il fut également opposé à Marcuse, Arendt, Bultmann, Jonas et à d'autres correspondants ou visiteurs moins illustres — comme si ce sceau gardait ce qu'aucune parole humaine ne doit proférer.

Comprendre l'incompréhensible

Comme le remarquait récemment Paul Veyne avec une salutaire insolence : «Nous sommes embarrassés de devoir constater qu'un des plus grands métaphysiciens qui ait jamais existé a pu être aussi un méprisable imbécile»[16]. Nous sommes, en effet, aux

14. *Der Spiegel, art. cit. ; Réponses et questions..., trad. cit.*

15. Ce silence n'a, d'ailleurs, pas été complet, puisqu'il a été rompu par une allusion dans une conférence prononcée à Brême en 1949, non encore publiée dans la *Gesamtausgabe* : «L'agriculture est maintenant une industrie alimentaire motorisée, quant à son essence la même chose que la fabrication de cadavres dans les chambres à gaz et les camps d'extermination, la même chose que les blocus et la réduction de pays à la famine, la même chose que la fabrication de bombes à hydrogène» (cité par Philippe Lacoue-Labarthe, *La fiction du politique*, Paris, Bourgois, 1987, p. 58). Voir le commentaire d'Elisabeth de Fontenay, «Quant à son essence la même chose», *Le Messager Européen*, n° 2, Paris, P.O.L., 1988, pp. 159-177. E. de Fontenay montre, sans complaisance, que l'insuffisance provocatrice de cette phrase ne doit pas masquer ce qu'elle donne à penser, malgré tout, sur les dangers «irreprésentables» du Dispositif technicien. Voir dans le même numéro (p. 151), «L'oubli de la détresse» par Alain Finkielkraut.

16. Paul Veyne, «Responsabilité politique ou hagiographie du philosophe?», *Raison présente*, n° 87, p. 28.

prises avec une dualité difficilement réductible entre le «petit» Heidegger et le «grand» Heidegger, l'homme nazi et le penseur génial. Si une porte battante permettait de passer sans cesse de l'un à l'autre, la difficulté serait levée ; nous aurions la clé de cette situation schizoïde.

Est-ce le même, celui qui a écrit (en 1933) cette phrase accablante : «Du travail pour l'Etat ne peut venir *aucun péril,* le péril vient seulement de l'indifférence et de la résistance»[17], et l'ami de René Char, le penseur exigeant pour qui «l'interrogation est la piété de la pensée»[18]? Pour moi comme pour beaucoup, depuis des années, seul le second a compté. Non que je fusse toujours d'accord avec lui. Mais provoqué à briser les évidences classiques sur l'être, la vérité, le temps : assurément. Ainsi, *Le principe de raison* est un grand livre[19]. Aussi décisif, en un sens, qu'*Etre et temps.* De même que ce dernier ne conduisait pas fatalement au nazisme (Lévinas s'en serait aperçu), le livre de 1957 n'en procède nullement. Va-t-on donc faire comme si rien ne s'était passé entre les deux, philosopher heideggeriennement ou même «post-heideggeriennement», en fermant les yeux sur les fâcheux «dix mois» ? Ce fut l'attitude qui l'emporta, à l'instigation de Sartre et à l'école de Jean Beaufret, depuis la Libération. Le nazisme de Heidegger ? Les impertinents qui soulevaient la question étaient considérés comme des empêcheurs de philosopher en rond, réaction encore partagée récemment par Pierre Aubenque[20]. Puisque cette illusion a été si durable et reste opérante, c'est qu'elle a été alimentée par ces drogues puissantes que sont, pour les philosophes, des inspirations dépaysantes (particulièrement excitantes, du fait d'un narcissisme irrépressible, quand elles portent sur l'histoire de la philosophie elle-même).

17. Martin Heidegger, «Textes politiques 1933-34», trad. Nicole Parfait, *Le Débat*, n° 48, p. 181.

18. Martin Heidegger, *Vorträge und Aufsätze*, Pfullingen, Neske, 1954, p. 44 ; *Essais et conférences*, trad. André Préau, Paris, Gallimard, 1958, p. 48.

19. Martin Heidegger, *Der Satz vom Grund*, Pfullingen, Neske, 1957 ; trad. André Préau, *Le principe de raison*, Paris, Gallimard, 1962.

20. Pierre Aubenque, «Encore Heidegger et le nazisme», *Le Débat*, n° 48, pp. 113-123.

Mais trêve d'ironie : nous sommes au rouet. Entre le nazisme et la question de l'être, y a-t-il une commune mesure, à tout le moins un passage ? Si Heidegger peut être aujourd'hui si radicalement suspecté, c'est qu'il a lui-même opéré la réduction de sa philosophie au plus petit commun dénominateur nazi : on ne le constate que trop indiscutablement, hélas, en relisant les proclamations et appels de 1933-34, où l'on est consterné de retrouver un certain nombre de concepts-clés d'*Etre et temps* (*Dasein, Eigentlichkeit, Entscheidung*, entre autres)[21]. Si Paul Veyne a donc raison d'affirmer que «notre penseur a accroché ses opinions nazi à sa philosophie»[22], ce constat doit-il faire méconnaître tout ce qui n'est pas nazi dans celle-ci, l'immense champ de questions et de thèmes qui échappent à la fatale *deminutio mentis* ? Nous serions perdants, inestimablement, dans une opération de rejet dont le caractère radicalement purificateur tente certains, oubliant que les épurations sont des liquidations de la pensée, victoires posthumes de Goebbels dans l'enfer insolite de notre culture.

Comme le ferait un détective bloqué dans son enquête par des explications inadéquates, nous devons peut-être imaginer une hypothèse de travail plus fine que celles du «nazisme profond» ou son inverse (une adhésion de circonstance). Une piste est indiquée par la critique que le ministre nazi Wacker adressa à Heidegger après le Discours de Rectorat : c'est une sorte de «national-socialisme privé»[23]. «Privé» : en quel sens ? En ce sens qu'il n'est vraiment compréhensible qu'à partir des positions très singulières de son auteur. Ce trait n'innocente nullement celui-ci de s'être prêté à ce jeu terriblement dangereux (pour sa pensée plus que pour sa personne) ; et cette indication, loin de résoudre le problème, en circonscrit plutôt l'extrême difficulté : faire se croiser ce qui n'aurait jamais dû se rencontrer et, par conséquent, chercher dans la pensée de Heidegger, dès *Etre et temps*, le «noyau d'irréalisation» qui *expose* à l'errance politique, même s'il n'y conduit pas mécaniquement[24].

21. Martin Heidegger, «Textes politiques 1933-34», *trad. cit.* pp. 176-192.

22. Paul Veyne, *art. cit.*, p. 29.

23. Martin Heidegger, «Le rectorat 1933-1934», *Le Débat*, n° 27, p. 81.

24. L'expression «noyau d'irréalisation» répond à la perplexité de Paul Veyne,

L'école phénoménologique (au sein de laquelle Heidegger a été l'assistant actif de Husserl) ne s'intéressait pas à la politique. C'est un fait. *Etre et temps* est un livre où la question n'est pas posée et d'où aucune allégeance politique ne se dégage. C'est un autre fait. Ce n'est qu'en mai 1933 et *après* son élection au Rectorat que Heidegger a adhéré au NSDAP : que Farias ait raison ou non de prétendre que certains connaissaient des sympathies qu'il répute également profondes et anciennes, mai 1933 constitue une césure radicale. Autre fait.

A partir de ces constats, la divergence éclate entre les deux thèses nettement antithétiques dont nous commençons à savoir qu'aucune ne nous satisfera : celle de la continuité et celle de la rupture. La première, que soutient Farias, se voit contrainte — pour se donner une vraisemblance minimale — de s'appuyer sur des sources extérieures à l'œuvre (documents sur le milieu souabe, l'enfance et la jeunesse catholique, etc,) et de prêter, par contre-coup, une importance démesurée et dérisoire à un discours de patronage en l'honneur d'un augustin déchaussé ; c'est un aveu ; la thèse ne commence à trouver un accrochage textuel plausible qu'avec *Etre et temps* et dans sa discussion des paragraphes sur l'être-pour-la-mort, la «décision-résolue», etc. La thèse inverse, celle du ralliement de circonstance, soutenue notamment par Pierre Aubenque[25], s'appuie sur la considérable base textuelle des publications et cours de Fribourg et de Marbourg ; disposant également d'arguments pour démontrer l'apolitisme d'*Etre et temps*, elle occupe une position philosophiquement forte (du moins, dans ce premier temps). C'est d'elle qu'il faut donc repartir — et d'*Etre et temps* — pour déterminer si, et en quel sens, la politique est introuvable chez le premier Heidegger.

Etant passé d'une «apolitique» à une «politique originaire», Heidegger va devoir justifier celle-ci. Approfondissements, déplacements, distanciation critique : nous n'avons accès à ce jeu complexe que rétrospectivement et à travers l'auto-interprétation hei-

---

ainsi exprimée (*art. cit.*, p. 34) : «Il y a, chez l'homme Heidegger, une part d'irréalité ; j'aimerais savoir si cette irréalité ne se retrouve pas en quelque endroit de sa philosophie.»

25. Voir, en particulier, la p. 119 de l'article cité du *Débat*.

deggerienne. Nous avons vu que «la vérité interne et la grandeur de ce mouvement», proclamée en 1935, est réinterprétée en 1953 : comment démystifier l'énormité de cette reconnaissance, sans méconnaître l'intérêt et la complexité de certains de ses attendus ? Trois lectures marqueront cette enquête dans le chapitre 4.

En examinant ensuite l'a-politique historiale du «second» Heidegger, nous atteindrons le cœur du travail. Si l'attente ouvertement prônée d'un virage destinal lève tout danger de compromission directe, la question se pose de savoir si la racine philosophique de l'imbroglio antérieur est véritablement arrachée. Si tel n'est pas le cas, il faut identifier cette racine et la circonscrire de la manière la plus critique. Il n'est pas niable que ce qui s'effectue alors est une révision déchirante opérée au fond même de la pensée heideggerienne. Que «reste-t-il» de cette pensée après ces «incisions» ? Cette question ne prend sens que replacée au sein d'un travail critique qui impliquera que soit précisé, au chapitre 6, comment notre itinéraire relaie, contredit ou croise d'autres travaux «post-heideggeriens».

*

Comment s'en débarrasser ? Dans la pièce d'Ionesco ainsi intitulée, un cadavre — d'abord de taille normale et, à ce titre, presque «acceptable» — grandit lentement au point d'envahir la scène ; Madeleine et Amédée ont beau faire : rien n'arrête cette insolite croissance. Avant «l'affaire», Heidegger était considéré comme un «grand penseur» ou un «philosophe important» un peu trop encombrant au goût de certains, mais son statut n'avait rien que de classique. En lançant et attisant le scandale, Farias et consorts ont porté atteinte à l'image du penseur, mais encore accru l'importance relative et la renommée de l'homme Heidegger. Plus son cas devenait envahissant, plus les implications de sa pensée dans cette affaire s'obscurcissaient. Plus radicalement on voulait lui régler son compte, moins on comprenait l'origine de sa «grosse bêtise» et son «silence» ultérieur. Trait significatif : l'affaire redevint uniquement française ; ce fut une occasion pour attaquer ou défendre la pensée «post-moderne» censée tant devoir au Maître. La question «Comment s'en débarrasser ?» concerne alors moins Heidegger lui-même que ses «ravages» : les textes de Heidegger risquent de passer à l'arrière-plan au profit d'un débat dont les enjeux seront la «pensée 68» ou la «pensée 68-86».

De ces discussions, on retire l'impression que n'a pas été vraiment dégagée la question décisive : si la pensée de Heidegger est atteinte en cette affaire, comment l'est-elle ? Est-il possible d'isoler presque chirurgicalement les jointures qui ont permis «l'erreur» et qui conduisent au «silence» ? Lacoue-Labarthe, Derrida ont travaillé dans cette direction, et avant la publication du livre de Farias. Il est un peu court de leur reprocher aujourd'hui de vouloir procéder à tout prix au «sauvetage» de Heidegger, alors qu'ils ont fait avancer une critique interne évitant aussi bien la redite que l'allégeance.

Rorty en Amérique, Habermas et Apel en Allemagne, Ferry et Renaut en France sont animés d'un zèle tout à fait respectable en faveur des valeurs démocratiques et libérales. Nul doute que, face à un danger néo-fasciste, il ne faille se ranger à leurs côtés. Ma morale «par provision» rejoindrait leur pratique. Mais l'horizon de la philosophie doit-il se limiter à la défense de la démocratie avancée ? En faisant indistinctement le procès des penseurs «post-modernes», on paraît oublier que la philosophie est la recherche la plus audacieuse qui soit, qu'à vouloir éliminer ses risques on stérilise aussi ses chances, qu'à bannir Nietzsche, Heidegger, Bataille, Deleuze, Foucault et quelques autres du champ de la philosophie, on en fait un *no man's land*. On bétonne autour de la Vérité, de la Signification, de la Valeur. Au siècle dernier, c'étaient le Vrai, le Beau, le Bien (voir Victor Cousin). On voudrait que la pensée soit absolument pourvoyeuse de garanties rationnelles et de cautions morales. C'est oublier que les guerres, saintes ou non, n'ont jamais manqué des «motifs» les plus nobles. Oublier les massacres couverts par l'Idéal et même l'idéal de l'Homme. Après tout, la plupart des peuples aujourd'hui «en voie de développement» n'ont-ils pas été militairement colonisés au nom (ou sous le couvert) d'une certaine idée de l'homme ? Et que dire des génocides d'Amérique ou d'Australie dont notre rationalisme se console si bien ? Relisons Franz Fanon ; peut-être serons-nous ensuite plus circonspects à entonner derechef la cantilène humaniste.

Ce qui devient incompréhensible dans cette affaire, c'est qu'une pensée désormais aussi «suspecte» et désormais considérée par certains comme «philonazie» ait pu à ce point masquer sa vraie nature. Heidegger est-il le plus grand illusionniste de l'histoire de la pensée ? Des volumes entiers ont été lus, commentés, disséqués pendant des décades par les esprits les plus déliés. Ceux-ci n'avaient pas vu le nazisme dans des propositions comme : l'être est radicalement différent de l'étant ; l'homme est en souci de l'être ; la métaphysique n'a pas pensé la vérité de l'être, etc. Ouvrez *Qu'est-ce que la métaphysique ?* ou *Qu'appelle-t-on penser ?*. Quels beaux précis de «philonazisme» ! Les concepts «hitlériens» pourront y être cherchés longtemps. Il faut donc se limiter aux textes dits politiques et à quelques allusions ou dénégations — le reste (99% de l'œuvre) étant paradoxalement la face cachée de l'iceberg. Les Nazis (les vrais) n'avaient pourtant pas coutume de masquer ainsi leurs pensées. Ils procédaient exactement à l'inverse. Et ils n'essayaient même pas de faire semblant de philosopher, à part les quelques idéologues patentés dont Heidegger qualifie ainsi les productions : «les pénibles ramassis de choses aussi insensées que les philosophies national-socialistes»[26].

Une pensée complexe (et dont la virtuosité «technique» a été saluée même par Bourdieu)[27] peut-elle être nazie (avec ou sans guillemets) ? Et, d'autre part, Farias lui-même a-t-il délimité avec précision le noyau spécifique du nazisme ? Pour mieux comprendre ce qui s'est passé et ce qui advient encore (pour nous) dans la lecture de Heidegger, il faut élaborer — par un patient travail sur les textes — une grille d'intelligibilité qui permette une véritable confrontation des deux spécificités : celle du nazisme, celle de la pensée de Heidegger (la seconde, étant infiniment plus complexe, nous occupera beaucoup plus longuement). La tâche proprement philosophique ne consistera donc pas à juger, ni à condamner, ni à défendre un homme ; elle aura à comprendre les

26. Martin Heidegger, *Holzwege*, Frankfurt, Klostermann, 1957, p. 92 ; *Chemins*, trad. Wolfgang Brokmeier, Paris, Gallimard, 1962, p. 90.

27. «Heidegger par Pierre Bourdieu : le krach de la philosophie», *Libération*, 10 mars 1988.

tours et les détours d'une pensée. Il ne s'agit alors plus de fidélité ni de rupture, ni de prise de parti, ni d'image publique, ni de mode.

Ne plus lire Heidegger ou lui conserver foi et admiration ? L'alternative est fausse. Elle a déjà été dépassée par les interprètes les plus rigoureux. Proposer plutôt une lecture de Heidegger, sous l'angle de la question politique, et qui porte le fer aux points les plus sensibles où se jouent la vérité et l'erreur, l'errance et peut-être une certaine grandeur, tel sera notre propos.

*

Que Louis Evrard veuille accepter l'expression de toute ma reconnaissance pour la lecture attentive et acribique qu'il a bien voulu faire d'une première version de ce livre. Les conseils amicaux de Jean-François Courtine, Michel Deguy, Marc Froment-Meurice, Michel Haar, Marc Richir et Arnaud Villani m'ont été précieux, ainsi que les questions, critiques ou suggestions des étudiants, collègues et amis à Nice et — autour de Gunnar Skirbekk — à Bergen. Que tous soient très sincèrement remerciés de m'avoir aidé à parachever cet essai.

Chapitre 2

Adieu Heidegger ?

L'ironie peut être trompeuse : une situation digne d'Ionesco ? Sans doute ; mais la saine sanction d'un certain rire ne doit pas masquer, bien entendu, la gravité de l'enjeu : emporté dans une des plus grandes tragédies de l'histoire, le penseur parvient à en proposer une interprétation grandiose à la fois métaphysique et planétaire, mais, victime de la propagande du régime, il surestime celui-ci, ne parvient pas à s'en dégager vraiment, s'enferme dans le mythe d'une «religion populaire» indûment empruntée à Hölderlin. Ces traits, pour n'être pas criminels, n'en sont pas moins gravissimes chez un philosophe dont on attendait une lucidité exceptionnelle : il nous font douter non seulement du jugement de l'homme Heidegger, mais surtout nous obligent à porter la suspicion jusque dans sa philosophie. Reprendre sereinement la mesure du problème, mettre le doigt le long de la blessure : telle est notre présente tâche.

La première séquence de ce chapitre a été écrite peu de temps après la lecture du livre de Farias ; elle devait introduire à une minutieuse lecture critique de *Heidegger et le nazisme*[1]. En quelques mois, le nombre de comptes rendus et de livres publiés sur la question a été tel que ce type de travail devenait inutile : un jugement relativement mesuré (contrastant avec l'extrême caco-

1. Victor Farias, *Heidegger et le nazisme*, Lagrasse, Verdier, 1987.

phonie des prises de position, *pro* et *contra*) s'est dégagé du magma ; c'est Hugo Ott qui l'a formulé avec la plus grande précision et sûreté d'information : «Le mérite de Farias réside dans la compilation de nouvelles sources et dans leur élaboration positive. Beaucoup de faits. Son travail a tôt fait de trouver ses limites, dès que commence l'interprétation, et avant tout là où il faudrait mettre en lumière le rapport entre la pratique politique de Heidegger et sa pensée. C'est pourtant bien justement là ce qu'on serait en droit d'attendre de la part d'un philosophe»[2].

Il serait tentant de retourner ce jugement contre Hugo Ott lui-même, après la publication du livre[3] où il recueille ses recherches sur le «cas Heidegger» : rien de philosophique, pour l'essentiel, dans cet amoncellement de documents, de faits inégalement significatifs et de mises au point historiographiques. Cependant, si Farias prétend philosopher sans être philosophe, Ott s'en tient à son métier d'historien. Il faut reconnaître que les qualités du livre correspondent à son but exprès : préparer, sur des bases précises et incontestables, une véritable biographie de Heidegger. D'où la modestie du sous-titre : «acheminement vers une biographie». On ne saurait reprocher à Ott, ni de rester ainsi «en chemin» (il rappelle que l'accès à certaines archives reste bloqué)[4], ni de ne pas proposer un schème interprétatif global (l'exemple de Farias n'a que trop démontré les limites d'une «systématisation» hâtive)[5]. Au contraire, il faut porter à son crédit l'effort pour mettre en valeur les critères permettant de «révéler Heidegger de l'intérieur»[6].

2. Hugo Ott, *Neue Zürcher Zeitung*, 28-29 nov. 1987, p. 67 ; trad. G. Guest, *Le Débat*, n° 49, mars-avril 1988, pp. 185-189.

3. Hugo Ott, *Martin Heidegger. Unterwegs zu seiner Biographie, op. cit.* Signalons que François Fédier annonce la publication d'un livre d'Hartmut Tietjen qui devrait, selon lui, embarrasser «tous ceux qui, aujourd'hui encore, croient pouvoir s'appuyer sur les travaux de Hugo Ott pour tenter d'accabler Heidegger» («Les silences du Professeur Tertulian», *La Quinzaine Littéraire*, n° 519, p. 25). Acceptons-en l'augure, non sans remarquer que François Fédier lui-même n'a pas hésité à s'appuyer sur Hugo Ott pour accabler Farias.

4. Hugo Ott, *Martin Heidegger..., op. cit.*, p. 9 : Ott fait particulièrement allusion au fonds Heidegger de Marbach et au fonds Bultmann de Tübingen. En fait, ce dernier vient d'être ouvert.

5. Ott se déclare «très opposé» à l'entreprise de Farias (voir *ibid.*, p. 14).

6. *Id., ibid.*, p. 12.

Ainsi, de même que les trois premières séquences signalent des thèmes qui donnent à penser (le modèle hölderlinien, la sécularisation heideggerienne de l'attente chrétienne de l'Avent, le «dialogue sans communication» avec Jaspers), de même les principaux chapitres ont pour fils conducteurs des indications de Heidegger lui-même sur les deux «échardes» qui ne lui ont pas laissé de repos : le «débat avec sa foi d'origine» et l'échec de son rectorat[7]. Il n'est pas négligeable que soit mise en relief l'articulation qui — au milieu des années 30 — fait se rejoindre (et entend sublimer) les deux difficultés : la poésie de Holderlin est censée assigner aux Allemands une tâche qui transcende à la fois leurs échecs politiques et leurs pratiques religieuses conventionnelles. A cet égard comme sur de nombreux points (dont un certain nombre étaient déjà connus grâce à lui-même et à Farias), il n'est pas niable que Hugo Ott réussisse à faire revivre (non sans une ironie tantôt amère, tantôt presque apitoyée) une personnalité si singulière, incompréhensible si l'on fait abstraction de la gigantomachie philosophique soutenue sans relâche, mais d'autant plus déconcertante quand des mesquineries trop humaines viennent en briser l'élan. Les liens intimes puis la rupture avec «le système du catholicisme», les circonstances de l'engagement de 1933 et les péripéties du rectorat, les brouilles avec Husserl et avec Jaspers, les complications du processus de «réhabilitation» après 1945 n'avaient jamais été circonscrits ni mis en scène avec tant d'acribie. Si la personnalité de Heidegger n'en sort pas grandie, loin de là, il est important que soit maintenue une interrogation sur «l'ambivalence purement irreprésentable» de sa structure psychologique[8]. Mais on se heurte alors à une limite qu'aucune étude purement biographique ne peut sans doute franchir, et dont Hugo Ott est si conscient qu'il renonce à conclure : la brève évocation des funérailles de Heidegger n'offre qu'un épilogue, sans même que la fable comporte sa moralité. Et la «réhabilitation», présentée sous un jour uniquement anecdotique, sans l'écoute des thèmes de l'œuvre de «Heidegger II», devient presque incompréhensible. Le

7. Heidegger, Lettre à Jaspers du 1er juillet 1935, citée par Ott, *op. cit.*, p. 42.

8. Ott, *op. cit.*, p. 131.

risque de l'entreprise est alors patent : malgré un effort méritoire pour découvrir la cohérence interne d'une vie déconcertante[9], l'enjeu de toutes ces recherches échappe, lors même que notre curiosité s'y trouve satisfaite.

De toute façon, la situation a bien changé depuis les lendemains immédiats de la publication du livre de Farias, présenté alors comme aussi incontestable qu'accablant. L'effet de scandale retombé, Farias passablement démystifié (mais incomplètement réfuté), beaucoup de questions demeurent ; et sans doute l'essentiel, du point de vue philosophique, reste-t-il à faire. La tâche qui s'impose maintenant est double : déterminer nettement le noyau à partir duquel l'engagement politique (direct ou indirect) de Heidegger doit être mis en cause ; tenter une réinterprétation qui permette de mieux comprendre s'il y a des liens (et quels ils sont) entre la déviation politique et le chemin de la pensée.

*

Ce chapitre entend répondre principalement à la première exigence : redélimiter le débat sur le «nazisme» de Heidegger, repréciser (à partir d'un retour aux textes) l'ampleur chronologique et surtout qualitative de son engagement (ou implication) politique et préparer ainsi l'exploration philosophique qui doit être ensuite poursuivie. On voit que nous ne prenons pas prétexte des faiblesses de Farias pour invalider et disqualifier les incontestables difficultés qu'il oblige à prendre en compte.

Pour l'essentiel, les documents, les textes, les témoignages sont patents : l'engagement de Heidegger fut plus long et plus profond qu'on ne l'avait dit ou cru (en fonction des justifications présentées par Heidegger lui-même en 1945) ; sans jamais se confondre avec un militantisme banal, sans même exclure, à partir de 34, une opposition envers les idéologues les plus influents[10], son

9. Ott réussit à montrer cette cohérence à propos de certaines déclarations de 1933 (*op. cit.*, pp. 160-162) et de l'*Introduction à la métaphysique*, mais il n'aborde de front ni *Etre et temps* ni la masse des œuvres philosophiques ultérieures.

10. C'est ce que confirme la fiche confidentielle, interne au NSDAP, retrouvée

soutien tacite à la personne de Hitler se maintint sans doute jusqu'à la victoire alliée ; son habile défense, adoptant un «profil bas», réussit presque parfaitement jusqu'à sa mort (1976) et même jusqu'en 1983 (date de la republication en allemand du Discours de Rectorat, enrichi de la justification de 1945) à atteindre un double but : minimiser l'ampleur de l'aval accordé au régime, offrir une interprétation qui — tout en accentuant l'importance du conflit réel avec l'idéologie officielle — déplace la question du nazisme vers celle de la technique planétaire. A sa décharge : aucune justification philosophique du biologisme, le refus de la «science politisée». A son passif : les signes trop évidents d'une sorte de complicité ou d'indulgence à l'égard d'un «noyau idéal» du national-socialisme, l'incapacité à présenter une analyse critique de la spécificité du nazisme à l'intérieur même du phénomène totalitaire — et surtout le refus de condamner l'Extermination.

Il est devenu évident que l'homme Heidegger (mais est-ce lui qui nous intéresse vraiment ?) n'est plus que laborieusement et très difficilement défendable. Certes il a consenti à une relative autocritique (malgré son ambiguïté), sans doute a-t-il su confesser — par exemple — la «défaillance humaine» que constitua son absence aux obsèques de Husserl[11]. «Ce n'est pas un héros» marmonne-t-on encore. Cette ligne de défense a un côté Maginot très prononcé : défaitiste dans l'âme (mais pourquoi ?), elle remplace l'explication par le *black out*. La casuistique psychologisante n'éclaire rien et défend Heidegger fort mal. Le meilleur défenseur de Heidegger fut Heidegger lui-même, mais non sans un revers que nous commençons à découvrir. Il y a bien eu une stratégie heideggerienne, cohérente et habile, à partir de 1945 ; elle s'inscrivait dans une logique interprétative dont il faut ressaisir la force, mais aussi le jeu dénégateur. Le portrait du Maître n'en ressort pas avec

---

récemment dans les archives du Quai d'Orsay : ne participant pas aux réunions, mais adhérent, donateur, hostile au catholicisme, Heidegger était considéré comme «sûr», quoiqu'avec des réserves dues à son caractère «un peu fermé» et à son originalité de «savant» (voir Jacques Le Rider, «Le dossier d'un nazi «ordinaire», *Le Monde*, 14 octobre 1988, p. 18). Rappelons que cette fiche date du printemps 1938.

11. Der Spiegel, *art. cit.*, p. 201 ; *Réponses et questions..., trad cit.*, p. 31.

la blancheur d'un «non-héros», mais plutôt avec le relief d'un esprit hors du commun jouant au plus fin, sinon avec le destin, du moins avec les contemporains (pour gagner, jusqu'à sa mort, la tranquillité ? le temps de penser ?). Un homme qu'il ne faut ni envier, ni singer : son lot singulier fut intimement tragique (sous la tranquillité d'une vie privée sauve) et connut ce que Baudelaire nomme «la fatalité du génie»[12].

Comprendre donc, telle est la tâche, plus qu'accuser ou défendre. Comprendre aussi pourquoi beaucoup, de bonne foi, ont crié au scandale. Comprendre enfin la douleur ressentie et, à la traverser, cette pointe de joie que donne la vérité accrue.

Le chagrin et la pensée

Sans réclamer la moindre indulgence envers Heidegger, on aurait préféré que le livre de Farias s'imposât — comme le fit naguère le film, *Le chagrin et la pitié ;* au sortir de la projection, on ressentait une tristesse profonde, mais avec la certitude de mieux connaître la vérité — une vérité qui parvenait à s'imposer dans la sérénité et la dignité. Sans haine, avec la conscience nue de la cruauté du partage historique, des témoignages révélaient les hommes «trop humains» : faibles, veules, méchants, mais aussi héroïques (parfois malgré eux), l'ancien dénonciateur côtoyant le résistant dans le même village, l'ex-engagé volontaire sur le front russe expliquant son illusion de jeunesse. De tous ces témoignages dérisoires ou bouleversants, sans doute le plus inoubliable était-il celui de Pierre Mendès-France.

Pour être à la hauteur du «cas le plus difficile» (expression de J. Lacant, «dénazificateur» de Heidegger à Fribourg en 1945)[13], il aurait fallu comprendre la complexité de ce qui s'était passé sans pour autant pardonner l'impardonnable ; il aurait fallu laisser se détacher événements, attitudes, actions, hésitations, sur l'opacité de l'histoire se faisant. Cela, comment se fait-il qu'un film sur la France occupée l'ait réussi (et aussi d'autres films sur le nazisme

12. Baudelaire, *Œuvres complètes*, Bibliothèque de la Pléiade, p. 701.

13. Voir *Le Monde*, vendredi 30 octobre 1987, p. 19.

et le génocide : *Shoah, Au revoir les enfants, Welcome to Vienna*), alors que le livre de Farias a un côté «règlement de comptes» inquisitorial, qui n'a rien d'aussi noble ni d'aussi véridique ?

«Marcher vers une étoile, cela seulement» a écrit Heidegger[14]. Si nous éprouvons aujourd'hui du chagrin et même un peu de pitié, c'est d'abord parce que l'homme n'a pas toujours été à la hauteur de cette ambition (qui anime son œuvre, quoi qu'on dise, quoi qu'on fasse)[15]. Voir abaissé quelqu'un qu'on a cru grand (et dont les trente dernières années ne paraissent pas manquer de dignité), voilà une peine dont on n'a pas à rougir, car il y a une mystérieuse *catharsis* de la douleur. Et cette douleur ne concerne pas uniquement Heidegger, mais enveloppe aussi «la vieille Allemagne notre mère», comme disait Nodier, ce peuple que de Gaulle salua — même après Buchenwald et Auschwitz — comme un «grand peuple» et qui, avant d'être conduit à l'abîme, a donné à l'humanité les œuvres musicales, littéraires et philosophiques les plus sublimes.

Tout ce qui abaisse l'homme est mauvais, tout ce qui l'élève est salutaire. Des penseurs, et non des moindres (de Merleau-Ponty à Lévinas)[16] ont lu Heidegger dans le sens de l'élévation (sans moralisme). Ce qu'ils cherchaient, ce que nous avons patiemment pisté, c'était justement le contraire absolu de ce qui conduisit au génocide (à la fois en-deçà et au-delà de cette horreur). Mais y a-t-il un contraire absolu de l'horreur ? L'absence de pensée érigée en police des mœurs intellectuelles risque de censu-

14. Martin Heidegger, *Aus der Erfahrung des Denkens*, Pfullingen, Neske, 1954, p. 7 ; *Questions III*, Paris,1966, p. 21 (trad. modifiée).

15. Malgré la mise au point de François Fédier, la lettre du 16 décembre 1933 concernant Eduard Baumgarten reste un document particulièrement accablant (voir Farias, *Heidegger et le nazisme, op. cit.*, pp. 234-237 ; François Fédier, *Heidegger : anatomie d'un scandale*, Paris, Laffont, 1988, pp. 104-107) ; mais, d'autres s'en étant abondamment chargé, nous n'avons pas l'intention de faire, dans ce livre, l'inventaire des faiblesses de l'homme Heidegger (ensemble, malgré tout, fini).

16. Le témoignage le plus récent, et peut-être le plus émouvant, de l'opposition admirative d'Emmanuel Lévinas à l'égard de l'ontologie heideggerienne est «Mourir pour...» (*Heidegger. Questions ouvertes*, Paris, Osiris, 1988, pp. 255-264).

rer ces questionnements, même quand ceux-ci s'avèrent risqués et surtout parce qu'ils furent et restent incertains, aporétiques, ouverts. C'est tout confondre ; et personne n'y gagne.

Aller au cœur du débat

Pour aller au cœur du débat, il faut faire le contraire de Farias : réfléchir sur la méthode, de telle sorte que la tension entre l'homme et l'œuvre soit pensable. Il faut conjurer, comme le conseille Granger, «le charme quasi pervers qu'exerce invinciblement sur nous le récit des vies des philosophes»[17]. On objectera que Farias expose sa méthode au début de son livre : «Aussi le travail d'interprétation requiert-il nécessairement trois niveaux d'analyse : celui du contexte historique objectif, celui de la pratique concrète du penseur qui prend telle ou telle option politique, celui de la signification systématique des idées qu'il formule»[18]. Cette belle déclaration d'intention prétend annoncer un travail d'«interprétation» ; en fait, celui-ci se réduira à sa formulation initiale : la distinction de trois niveaux, sans autre articulation qu'une lecture à sens unique, de bas en haut (des «conditions objectives» à la «pratique», jusqu'aux «idées abstraites»). La «pratique objective» de Farias est celle du matérialisme le plus primaire (explication du supérieur par l'inférieur, selon la définition d'Auguste Comte). Farias ne se donnera même pas la peine de dialectiser un peu tout cela. L'œuvre est réduite à des «idées abstraites» : autrement dit, elle ne compte pas ; c'était le but de l'opération : il est avoué d'emblée ; et il est mené de bout en bout avec une minutie qui s'élève rarement, en effet, aux idées et surtout aux questions que le dénommé Heidegger a soulevées. S'agit-il d'une «méthode» ? Si elle était telle, elle devrait au moins préciser au lecteur que «l'accusé» a une vision exactement opposée de la relation entre l'homme et l'œuvre : que ce soit à propos d'Aristote ou de Nietzsche, toujours la biographie est subordonnée à l'intelligence

17. Gilles-Gaston Granger, *Pour la connaissance philosophique* Paris, Odile Jacob, 1988, p. 242.

18. Victor Farias, *Heidegger et le nazisme, op. cit.*, p. 15.

du message de pensée qui mérite de traverser les siècles, précisément parce qu'il dépasse la personnalité de l'auteur (et parce que l'auteur s'est transcendé en pensant). Il y a une phrase de Heidegger qui s'applique parfaitement à une entreprise du genre de celle de Farias : «l'énumération des faits n'apporte rien aussi longtemps que manquent les horizons qui conviennent à la chose même»[19]. Cette indication mérite d'être complétée par celle qui figure dans une autre lettre à Jean-Michel Palmier : «une œuvre de poésie (*Dichtung*) et par suite toute grande œuvre d'art peut-elle et doit-elle être expliquée par la biographie, ou n'est-ce pas plutôt l'œuvre qui rend possible une interprétation de la biographie qui emprunterait le bon chemin ?»[20]. Ce qu'écrit ici Heidegger de l'œuvre d'art, il le pensait également de l'œuvre philosophique, comme il l'a signalé à maintes reprises. Farias est en droit de contredire cette prétention ; encore faudrait-il expliciter cette opposition au niveau des présupposés — et quelles fins elle vise. Farias n'en a cure ; les «idées» de Heidegger sont pour lui des superstructures dont il croit avoir trouvé l'origine, la clé, le label. Que ces «idées» puissent revêtir un intérêt pour nous, pour la recherche à venir, au-delà même du «cas Heidegger», cela ne paraît pas effleurer l'esprit de cet enquêteur appliqué qui se croit un grand détective sous prétexte qu'il a le goût du détail. Tout est si clair (et c'est pourquoi cela fait effet) quand l'acte d'accusation est linéaire et sans nuances ! La conduite de l'accusé, présumé coupable, s'explique par son milieu ; celui-ci a lui-même produit sa «pratique concrète», à côté de laquelle les dires de l'accusé (qui se prétendait penseur) sont du vent. Voilà une enquête «si humble, si historienne», nous rassure Christian Jambet[21]. Mais si elle était telle, ferait-elle autant le silence sur les pièces à décharge ? Surtout, prétendrait-elle fournir un jugement définitif sur un homme et sur *son œuvre* ?

Il faut faire le contraire de Farias, disions-nous. Il s'agit bien, comme l'a écrit R.-P. Droit, de «penser le lien obscur» ; mais toute

19. *Martin Heidegger,* Cahier de l'Herne, *op. cit.*, p. 116.

20. *Ibid.*, p. 117.

21. Christian Jambet, Préface à Farias, *Heidegger et le nazisme, op. cit.*, p. 14.

la difficulté rebondit quand on doit déterminer le contenu de ce lien. Entre deux personnalités ? entre deux sphères mentales que nous nous représentons ? Dr Jekyll et Mr Hyde ? le monde du penseur et celui du salaud ? Ce serait présupposer que l'enjeu de la pensée de Heidegger peut se laisser isoler représentativement *en face* de son côté sombre. On ne peut séparer si facilement l'ombre de la lumière dans un cas aussi complexe (ni fixer représentativement une pensée si questionnante). D'autre part, si nous avons raison de penser que l'enquête de Farias n'est pas si «humble», si «historienne» que Jambet le prétend, il faut isoler le nerf de sa thèse ; or ce nerf est philosophique, même s'il est réducteur (et en son acte réducteur lui-même) : il consiste à penser que *la vérité objective de la philosophie de Heidegger est le nazisme* (un nazisme fractionnel, mais un nazisme quand même). C'est donc cette thèse qu'il faut discuter, cette fois-ci à l'intérieur de l'œuvre, mais en confrontant constamment celle-ci (en ses thèmes et en sa progression) avec les éléments doctrinaux incriminés. L'œuvre est-elle «une version» de la doctrine nazie ? A quel niveau cette affirmation serait-elle pertinente ? Ou, inversement, la doctrine nazie peut-elle voir ses limites circonscrites à partir de l'œuvre de Heidegger ? Nous voici désormais au cœur du débat.

Le triangle de fer idéologique

Posons d'abord, d'un point de vue plus «structurel» que purement historique, la question à laquelle Farias néglige de répondre systématiquement et qui est pourtant une condition *sine qua non* de ce genre de travail. Soit le nazisme constitué comme idéologie, tel qu'il a été diffusé durant les douze années du Reich et tel qu'il s'est «précipité» pour nous, en un complexe idéologique aisément identifiable. A lire Farias, on a l'impression que le nazisme, c'est tout aussi bien (successivement ou suivant une combinatoire imprévisible) l'esprit de clocher, le populisme, la volonté de «discrimination», le nationalisme, le besoin d'ordre et d'autorité, etc. Cette démarche est-elle rigoureuse ? Elle permet d'attribuer à Heidegger une sorte de nazisme rampant, strictement invérifiable. Cependant, elle n'est pas absurde, car elle exploite un trait important et incontestable du complexe idéologique national-socialiste. Comme le remarque Franz Neumann : «l'idéologie nationale-socialiste est dépourvue de toute harmonie interne. Le style de ses auteurs [...] est abominable, leurs conceptions confuses, leur cohérence nulle»[22]. Il s'agit donc d'un ensemble métastable où, à la différence de ce qui se passe dans le marxisme, le souci théorique n'est pas premier (la réaction contre le rationalisme, l'universalisme et la théorie en étant, au contraire, des éléments déterminants) ; ce magma idéologique ne constitue jamais une théorie politique proprement dite, mais est largement soumis aux impératifs opportunistes de l'exercice du pouvoir et du contrôle des masses. C'est ce qui rend utiles et nécessaires des études socio-linguistiques comme celle de Jean-Pierre Faye dans *Langages totalitaires*[23] : les connotations (dans les différents champs sémantiques «contaminés» par ces rayonnements idéologiques) y sont au moins aussi importantes que les dénotations explicites et assumées, les formulations doctrinales et les franches allégeances.

Une fois admis que le complexe idéologique nazi constitue plus un ensemble à géométrie variable qu'une doctrine d'une pureté diamantine et absolument stable, il est possible et souhaitable d'isoler les éléments qui paraissent structurellement constitutifs du nazisme et sans lesquels il n'est plus strictement identifiable. Le triangle de fer du nazisme a trois sommets : le *Führerprinzip* ; le racisme à dominante antisémite ; le nationalisme impérialiste. Il est significatif que ces composantes se déploient dans les trois volumes du célèbre ouvrage d'Hannah Arendt, *Les origines du totalitarisme : Sur l'antisémitisme, Le système totalitaire, L'impérialisme*[24]. De son côté, sans qu'il isole expressément un triangle structurel (démarche qui est nôtre), Neumann éclaire bien la structure politico-idéologique du nazisme à partir des trois éléments essentiels : le chef charismatique (et le

22. Franz Neumann, *Béhémoth. Structure et Pratique du national-socialisme*, trad. G. Dauve, Paris, Payot, 1987, p. 51.

23. Jean-Pierre Faye, *Langages totalitaires*, Paris, Hermann, 1972.

24. Titres des trois volumes de la traduction française (actuellement disponible dans la collection Points-Seuil) de *The Origins of Totalitarism*, New York, Harcourt-Brace, 1951.

«totalitarisme» qui en découle), le peuple racial, le *Grossdeutsche Reich*.

Le *Führerprinzip* sans les deux autres éléments donne un régime autoritaire ou fasciste à l'italienne ou à l'espagnole ; au nationalisme impérialiste correspond un régime de type bismarckien ; le racisme n'est pas la composante proprement politique du triangle : isolé, sans supports politiques, il produit des mouvements d'opinion et des persécutions, comme l'antisémitisme français lors de l'affaire Dreyfus ou les pogroms russes. Les trois éléments sont présents dans *Mein Kampf* et donc dès 1925 ; mais il est évident qu'une étude diachronique doit tenir compte des étapes de leur mise en place effective dans l'Etat et dans la société.

Il va de soi que la description et la compréhension du phénomène nazi ne sont nullement épuisées par une telle schématisation structurelle ; il faudrait aussi tenir compte des pratiques violentes, du cynisme de la stratégie politique, de l'utilisation nouvelle des techniques de manipulation et de propagande, etc. Nous n'avons voulu dégager — pour clarifier la critique méthodologique du livre de Farias — que les composants idéologiques structurellement *minimaux*, sans lesquels le nazisme n'est pas vraiment identifiable.

Si nous nous tournons vers l'autre terme de la confrontation, l'œuvre philosophique de Heidegger (et toujours du point de vue structurel et constitutif), il va de soi qu'il est stupide — et *de facto* impossible — de vouloir retrouver le «triangle de fer» nazi dans cette philosophie. Un déséquilibre considérable saute aux yeux : nous avons d'un côté une idéologie sommaire et directement mobilisatrice, de l'autre une œuvre qualitativement et quantitativement considérable, comportant à la fois une réinterprétation de toute l'histoire de la philosophie et une reformulation des tâches de la pensée. Cela ne signifie pas que *toute confrontation* entre une philosophie et une idéologie soit impossible ni absurde ; encore faut-il préciser et respecter la spécificité des discours. Les œuvres «philosophiques» de Staline sont d'autant plus facilement analysables en termes idéologiques qu'elles n'ont de philosophique que le nom. De même, il suffit de jeter un coup d'œil sur *Mein Kampf* ou sur la prose de Rosenberg pour constater que la «philosophie» s'y réduit à des diatribes contre la «décadence» parlementaire-bourgeoise, contre la «juiverie» du marxisme ; on y affirme péremptoirement une liaison directe entre la pureté raciale et la «santé» de la pensée, etc. Mais, avec Heidegger, quel abîme ! Même dans l'hypothèse qui lui serait la plus défavorable (hypothèse que nous considérons comme invraisemblable) selon laquelle la terminologie philosophique et les conventions académiques n'auraient été, d'un bout à l'autre, que des «couvertures» de son nazisme profond (seul peut échafauder une telle hypothèse quelqu'un qui, n'ayant jamais éprouvé l'intérêt propre de la recherche philosophique, n'a que mépris pour ce genre de pensée), il faudrait examiner la cohérence interne et la spécificité de ces thèmes. Bourdieu lui-même, à la fois plus mesuré et plus cohérent que Farias, n'arrive pas à nous convaincre que son analyse sociologique du «professeur ordinaire» Heidegger peut rendre compte des aspects philosophiques les plus novateurs de l'œuvre en question[25].

Il paraît donc sensé et justifié de distinguer, au sein du corpus heideggerien, toute une face thématique où la «réduction à l'idéologie» s'avère inopérante ou insignifiante. Prenons, par exemple, les *Concepts fondamentaux,* cours de 1941[26] : même si une critique idéologique considère avec suspicion le recours aux concepts de *Grund*, d'*Anfang*, etc, elle ne pourra nier que l'intelligibilité des §§ 8 à 16 («Paroles directrices pour la méditation se rapportant à l'être») gagne infiniment plus à une confrontation avec la *Logique* de Hegel ou le *Sophiste* de Platon qu'avec le discours idéologique *völkisch* des années 30-40.

Plus systématiquement, il est possible d'isoler les thèmes heideggeriens qui ont désormais pénétré au sein de la communauté philosophique, que celle-ci a fait siens et dont l'apport herméneutique est devenu strictement indépendant de toute réduction politico-idéologique. Cela n'implique pas qu'il faille interdire certains

25. Voir Pierre Bourdieu, *L'ontologie politique de Martin Heidegger*, nouvelle édition, Paris, Minuit, 1988.

26. Martin Heidegger, *Concepts fondamentaux,* trad. Pascal David, Paris, Gallimard, 1985.

cantons de l'œuvre au travail qui doit être poursuivi sur les implications politiques de la pensée heideggerienne ; mais cela veut dire que les soupçons critiques, s'ils se réintroduisent dans toute l'œuvre, devront justifier à partir de quelles présuppositions ils le font et, par conséquent, devront admettre — pour ne pas être réducteurs — que le travail critique (sur des ambiguïtés, des implications terminologiques, etc.) ne soit pas exclusif d'une reconnaissance de l'apport créateur de Heidegger au sein de la thématique philosophique. La comparaison avec le travail scientifique n'est pas, sur ce point, dénuée de sens : un théorème pertinent, une expérience réussie sont, une fois connus ou publiés, des acquis irréversibles (et «falsifiables» au sens poppérien) de la communauté scientifique, même si leur auteur est une personnalité contestable à d'autres égards ou si la genèse de ce travail scientifique a pu se faire dans des conditions socio-politiques ambiguës (par exemple, dans une équipe de chercheurs contraints de sacrifier à la rhétorique de la condamnation de la «science bourgeoise» sous Staline ou de la «science juive» sous Hitler). La philosophie n'est certes pas une science exacte ; son développement historique est cependant lié à l'intégration de questions, d'arguments et de thèmes au sein de la communauté savante. Après Heidegger, il n'est plus tout à fait possible de philosopher comme avant. Qu'on le regrette ou non, c'est une donnée de la culture européenne-occidentale de cette fin de siècle. Faut-il citer quelques-uns des thèmes scellés par la méditation heideggerienne ? La question de l'être et la différence ontologique ; la possibilité d'une analytique existentiale ; la mise en cause de l'interprétation traditionnelle du temps à partir du privilège du présent ; l'interprétation de la métaphysique occidentale comme onto-théologie ; le projet de dépassement, ou plutôt de «rémission» (*Verwindung*), de cette métaphysique.

Lorsqu'on se place à ce niveau et l'esprit orienté vers les questions encore réservées vers lesquelles Heidegger a fait signe, le nazisme s'avère introuvable. Non seulement la «réduction à l'idéologie» bloquerait la réflexion critique ; mais le retour au problème du nazisme risque d'avoir un effet purement régressif — quand il ne constitue pas une sorte de «question préalable» bloquant toute avancée. Par exemple, les œuvres de Schürmann et de

Vattimo sont, chacune à sa façon, tournées vers l'avenir ; elles sont «post-heideggeriennes» en un sens qui n'est pas historiciste ; elles ont réussi à «extraire» de la pensée de Heidegger des questions qui sont désormais détachées de leur contexte initial : l'anarchie au sens de Schürmann peut et doit être discutée sans que soit sans cesse exhibé et répété l'argument *ad hominem* selon lequel Heidegger ne fut jamais anarchiste ; la «fin de la modernité» selon Vattimo est une perspective incompréhensible sans référence à la *Verwindung* heideggerienne, mais elle s'enrichit aussi de tout le contexte des débats récents sur la post-modernité. Il serait incongru de vouloir «démontrer» la fécondité d'une pensée par ce que tant d'auteurs recherchent en vain : greffes inattendues, renversements, déplacements et «parricides». Nous nous trouvons là devant la force secrète d'une création. Le «reste» n'est-il pas négligeable ?

De fait, cette confrontation structurelle n'aboutit, pour l'instant, à un résultat si tranché que parce qu'elle porte à leurs limites (du côté de leurs spécificités irréductibles) les deux termes en présence : l'idéologie nazie, la pensée de Heidegger. Mais nous avons déjà entrevu que la première n'est jamais d'une cohérence théorique parfaite et traîne avec soi de nombreuses variantes ou connotations ; quant à la seconde, elle ne se réduit pas à des «pensées fondamentales» fécondant pour l'éternité la recherche pure : elle inscrit, de son propre aveu, un cheminement fini dans un paysage historique déterminé. Même si l'on se borne à déclarer que le nazisme est introuvable dans l'œuvre philosophique, on ne pourra nier que certains de ses éléments émergent dans les écrits *politiques* de 1933-34. Mais où situer le *Discours de Rectorat* ? Quel statut donner aux allusions très précises (et pas toujours olympiennes) qui vont émailler les cours des années postérieures ? En posant l'extériorité conjoncturelle du nazisme par rapport à l'intériorité profonde de la philosophie, n'entre-t-on pas en contradiction avec Heidegger lui-même proclamant en 1935 la «vérité interne et la grandeur de ce mouvement» ?

Il ne suffit donc pas d'avoir montré qu'en toute rigueur le triangle de fer idéologique nazi est, tel quel, introuvable dans l'œuvre philosophique de Heidegger pour que notre perplexité soit éteinte. Le «cas le plus difficile» ne peut être classé ni du côté au tout brun, ni du côté du tout blanc. Il faut aussi prendre au sérieux et examiner maintenant très scrupuleusement les points de repère, chronologiquement intermédiaires entre 1935 et 1945, qui obligent à abandonner la thèse des «dix mois» et à concéder que Heidegger maintint une certaine forme de soutien au régime. Nous nous en tiendrons (par souci de cohérence avec un projet qui se veut avant tout philosophique) aux textes mêmes de Heidegger (et à un témoignage qui se réfère directement à sa philosophie).

Nouveaux amers

Même sur les dix ans que nous envisageons maintenant, la masse des textes est considérable : trois cours sur Hölderlin, le *Schelling*, les cours sur Nietzsche, les *Beiträge*, l'écrit sur *La doctrine platonicienne de la vérité*, etc. A part ce dernier traité (en 1942) et des contributions brèves sur Hölderlin, il faut concéder à Heidegger qu'il n'a presque rien publié de cette énorme masse sous le régime hitlérien. Mais notre but, dans les pages qui suivent, ne sera justement pas de reprendre la discussion au niveau Farias (à propos, par exemple, des livraisons de papier autorisées par les autorités pour la réédition de *Sein und Zeit)* ; notre propos est à la fois plus complexe et plus directement accessible ; plus complexe : la réévaluation critique que nous amorçons vise à comprendre une pensée ambiguë et en évolution ; plus directement accessible : les documents pertinents ne sont pas dispersés dans des archives lointaines ou secrètes ; ce sont des textes consultables, même si certains sont encore non traduits (comme les *Beiträge* ou certains cours sur Hölderlin : *Andenken, Der Ister*).

Comme bien des aspects de ces textes seront réexaminés dans la suite de ce livre, bornons-nous à une sorte de *prise de contact* redoublée : d'abord chronologique, ensuite en fonction d'une tension que nous croyons fondamentale.

Livrons brutalement quelques repères chronologiquement regroupés :

— Hiver 1934-35 (après la démission du Rectorat, datant du 23 avril 1934) : cours sur les hymnes de Hölderlin, *La Germanie* et *Le Rhin*. La percée (*Aufbruch*) du régime est saluée en termes clairs et sa portée est dite transcender une «simple transformation de la situation politique intérieure»[27]. A la dernière page du cours, nous lisons cette phrase solennelle : «L'heure de notre histoire a sonné»[28].

— 1935 : *Introduction à la métaphysique*. Heidegger y parle de «la vérité interne et de la grandeur de ce mouvement» (nous consacrerons le chapitre 4 à ce passage).

— Avril 1936 : Karl Löwith rencontre Heidegger à Rome et témoigne : «Il ne laissa pas de doute à propos de sa foi en Hitler ; celui-ci avait seulement sous-estimé deux choses : la vitalité des Eglises chrétiennes et les obstacles à l'*Anschluss* de l'Autriche. Maintenant comme avant, il était convaincu que le national-socialisme était la voie indiquée pour l'Allemagne ; il fallait seulement «tenir bon» assez longtemps. La seule chose qui lui semblait discutable était l'organisation démesurée, aux dépens des énergies vitales.» Il n'y a pas lieu de mettre en doute ce témoignage, même si la mémoire de Löwith a pu ne pas être absolument fidèle dans la restitution de tel ou tel mot de la conversation[29].

— Eté 1936 : dans un passage (non publié) du cours sur Schelling, Heidegger écrit : «Les deux hommes qui ont amorcé un contre-mouvement contre le nihilisme, Mussolini et Hitler, chacun d'une manière différente, ont tous deux été à l'école de Nietzsche. Le domaine métaphysique propre de Nietzsche n'a cependant pas été ainsi mis en valeur»[30].

— Eté 1940 : Heidegger interprète explicitement la défaite de la France comme signifiant que le peuple de Descartes n'est plus à la hauteur de sa propre histoire : «Il faut une humanité qui soit foncièrement à la mesure de l'essence fondamentale sin-

27. Martin Heidegger, *Gesamtausgabe*, 39, p. 134.

28. *Id., ibid.*, p. 294.

29. Voir Karl Löwith, *Mein Leben in Deutschland vor und nach 1933*, Stuttgart, Metzler, 1986, p. 57 sq.

30. D'après Carl Ulmer, Lettre au *Spiegel*, n° 19, 2 mai 1977, p. 10.

gulière (*einzigartigen*) de la technique moderne et de sa vérité métaphysique, c'est-à-dire qui se laisse totalement dominer par l'essence de la technique...»[31].

— Eté 1942 : Heidegger fait à nouveau un cours sur Hölderlin, cette fois-ci sur l'hymne *Le Danube*. Dans ce cours, publié en 1984, on lit : « La πόλις. On peut aujourd'hui, si tant est qu'on le fasse, à peine lire un traité ou un livre sur la Grèce sans buter partout sur l'affirmation péremptoire qu'ici, à savoir chez les Grecs, "tout" est déterminé "politiquement". Les Grecs apparaissent, dans la plupart des "résultats de la recherche", comme les nationaux-socialistes purs. Ce zèle excessif des érudits ne paraît pas remarquer qu'avec de tels "résultats" il ne rend absolument aucun service au national-socialisme et à sa singularité historiale (*geschichtlichen Einzigartigkeit*), service dont ce dernier n'a d'ailleurs aucunement besoin»[32].

Il est évident que chacun de ces textes mérite un examen attentif (qui sera effectué dans la suite de ce travail, selon des angles d'attaque différents suivant les cas), doit être replacé dans son contexte et ne doit pas être aveuglément utilisé «à charge». Heidegger lui-même a fait valoir la suspicion, les attaques et même les insultes dont il a été l'objet, durant ces années, de la part des hommes du régime, Krieck, Jaensch, Rosenberg[33]. Même contestée sur certains points par Ott, Pöggeler, Farias, cette défense ne doit pas être ignorée. Hermann Heidegger, de son côté, a précisé : «au milieu des années trente, en 1935, 1936, 1937, j'étais en conflit avec mes parents parce qu'ils étaient déjà détachés intérieurement du mouvement et parce qu'ils voyaient que tout cela allait mal finir»[34].

31. Martin Heidegger, *Nietzsche*, Pfullingen, Neske, 1961, pp. 165-166 ; trad. Klossowski, Paris, Gallimard, 1971, pp. 133-134.

32. Martin Heidegger, *Gesamtausgabe*, 53, p. 98.

33. Voir Martin Heidegger, *Das Rektorat 1933/34*, «Die Zeit nach dem Rektorat», Frankfurt, Klostermann, 1983, p. 40 sq. ; textes traduits par François Fédier, *Le Débat*, n° 27, novembre 1983, p. 87 sq.

34. «Le fils de Heidegger parle», *Globe*, n° 26, mars 1988, p. 68.

Si l'on veut donner à la présente réévaluation critique une dimension philosophique qu'un survol chronologique (même plus complet) ne permet guère de déployer, il faut sans doute prendre garde à une allusion que fait Heidegger (dans le texte de justification de 1945)[35] au «mouvement d'ensemble qu'est la volonté de puissance planétarisée», lequel représente pour lui, au-delà des mésaventures personnelles, «un mouvement de l'histoire dont les Allemands ne pressentent pas encore la dimension — même à présent que la catastrophe s'est abattue sur eux». Cette indication rejoint celle que fit Heidegger au fait que les cours sur Nietzsche avaient été, pour l'essentiel, une «explication» (*Auseinandersetzung*) avec le national-socialisme[36]. Mais en quel sens ? C'est ce qu'il s'agira de préciser et de penser.

Les cours sur Nietzsche et sur Hölderlin délimitent la bipolarité au sein de laquelle se joue alors, selon Heidegger, le destin spirituel allemand et, avec lui, celui de l'Occident. Du côté de Nietzsche, la volonté de puissance planétarisée. Du côté de Hölderlin, le *possible* d'une appropriation pensante et poétique. Nietzsche : l'effectivité destinale ; Hölderlin : la possibilité réservée.

Si schématique qu'elle soit, cette tension est réelle, intense et significative, déjà à la fin du cours sur Hölderlin de 34-35, Heidegger indique clairement que, dans la compréhension de «l'essence de l'existence historiale», Hölderlin est allé d'emblée plus loin que Nietzsche. La dualité du dionysiaque et de l'apollinien n'a retrouvé que partiellement la «pureté et simplicité» avec laquelle Hölderlin avait saisi (tout particulièrement dans la lettre à Böhlendorff du 4 décembre 1801) «l'intimité conflictuelle de ce qui est destinalement accordé et assigné aux Allemands» (dans une relation non d'imitation mécanique, mais d'inversion par rapport aux Grecs)[37].

Il est frappant de constater à quel point Heidegger prend *à la lettre*, pour l'appliquer au destin moderne et contemporain, une intuition hölderlinienne tout à fait pénétrante, mais dont rien

35. *Id., Das Rektorat, op. cit.*, p. 43 ; *trad. cit.*, p. 89.

36. Martin Heidegger, Lettre du 4 novembre 1945 au Rectorat académique, Cahier de l'Herne *Martin Heidegger, op. cit.*, p. 102.

37. Voir Martin Heidegger, *Gesamtausgabe*, 39, pp. 293-294.

n'indique qu'elle doive jouer comme schème historique (le propos de la lettre à Böhlendorff relève de l'art poétique, au sens le plus haut). Si nous n'avons «rien de commun avec eux» (les Grecs), la relation d'inversion entre leur lot et le nôtre, entre le «feu au ciel» et la «clarté de la représentation», désigne plus un *écart sans recours* qu'une grille d'intelligibilité au sein de laquelle le destin allemand (ou occidental) pourrait se loger. Lacoue-Labarthe a su montrer que «la Grèce aura été, pour Hölderlin, cet inimitable»[38]. Mais, avec une violence interprétative qui devait susciter les réserves admiratives, mais profondes, de Max Kommerell[39], Heidegger élève la pensée hölderlinienne au statut de *sentence destinale*. Lisons plutôt : «Aux Allemands est accordé : la puissance de saisie, la préparation et la planification des domaines, et le calcul, l'ordonnancement jusqu'au déploiement de "l'organiser". Leur est refusé : d'être touché directement par l'être originaire (*das Seyn*)»[40]. Si nous gardons en mémoire cette autre parole hölderlinienne qui fait la conclusion du même cours («Nous n'apprenons rien plus difficilement que le libre usage du *nationnel*»[41]), nous avons désormais les fils d'une trame herméneutique qui est à suivre de près.

Hölderlin ne «l'emporte» pas seulement sur Nietzsche, dans l'esprit de Heidegger : il offre la dimension interprétative historiale-destinale où la lecture de Nietzsche (de plus en plus critique, à partir de 1936) va venir trouver son sens et comme son lieu. Le «tournant» (*Kehre*) qui semble se produire dans les cours sur Nietzsche (comme l'a vu Hannah Arendt) est lui-même un mot et

38. Philippe Lacoue-Labarthe, *L'imitation des modernes*, Paris, Galilée, 1986, p. 84.

39. Voir la Correspondance Kommerell-Heidegger, introd. et trad. par Marc Crépon, *Philosophie*, n° 16, pp. 3-16. L'appréciation de Kommerell ne s'applique alors qu'à l'essai sur *Wie wenn am Feiertage*, mais il n'est pas interdit de penser qu'il vise *l'esprit* de l'interprétation heideggerienne de Hölderlin ; l'appréciation finale (*Unglück*) (p. 14) est d'une extrême sévérité que Heidegger accepte dans sa réponse du 4 août 1942, avec une modestie si totale qu'elle devient, à la lettre, inappréciable. Cf. Max Kommerell, *Le chemin poétique de Hölderlin*, trad. Le Buhan et de Rubercy, Paris, Aubier, 1989, pp. 109 sq.

40. Martin Heidegger, *Gesamtausgabe*, 39, p. 292.

41. *Id., ibid.*, p. 293.

un mouvement hölderliniens. Et la *jonction* (qui soude la plus extrême difficulté de l'attitude de Heidegger) entre ce qu'il veut conjurer (le danger) et ce qu'il appelle (le salut) n'est sans doute pas pensable hors du contexte hölderlinien du poème *Patmos* et du «frôlement» que Heidegger explicitera plus tard à propos de la technique[42].

Nouvelle triangulation

Le triangle de fer idéologique dessinait une aire de certitudes attristantes, mais incontestables : là où l'on a les trois éléments précédemment isolés, on a un nazisme sûr et dur. Une seule certitude pour l'instant, concernant Heidegger : le «sommet» raciste, biologisant et antisémite du triangle a toujours manqué à l'appel ; c'est une constante de *toute* l'œuvre, quelles que soient les dates ou les catégories de textes (tout au plus trouve-t-on une allusion aux «forces de terre et de sang» dans le *Discours de Rectorat*)[43].

Une relecture des autres textes politiques de 1933-34, puis un retour au principal des jalons des dix années suivantes vont mener à une nouvelle «triangulation» de la relation de la pensée heideggerienne au nazisme, du fait d'une dissymétrie entre les deux groupes de textes ou de témoignages : ceux de 33-34, dans leur enthousiasme, vont révéler un nazisme qui serait banal (pour l'époque), s'il n'était proclamé par un grand philosophe et s'il ne se donnait pas les plus hautes justifications ; les textes ultérieurs, malgré leur désillusion, trahissent une reconnaissance destinale (et pensante) plus singulière et peut-être plus décisive (parce que moins conjoncturelle). Voyons les choses de plus près.

En laissant de côté le *Discours de Rectorat* (dont il sera question dans le prochain chapitre) et en s'en tenant aux textes de 33-34 dont l'authenticité ne fait pas de doute[44], on dispose d'un spécimen éloquent du contenu effectivement nazi de la «pensée

42. *Id.*, *Vorträge und Aufsätze*, *op. cit.*, p. 36 sq. ; *Essais et conférences*, *trad. cit.*, p. 38 sq.

43. *Id.*, *Die Selbstbehauptung der deutschen Universität*, trad. Gérard Granel, Mauvezin, TER, 1982, p. 13.

44. Traduits par Nicole Parfait dans le n° 48 du *Débat*, déjà cité.

politique» de Heidegger, du moins à ce moment. Une analyse élémentaire de ces textes ne laisse aucune incertitude et permet d'écarter la thèse selon laquelle le ralliement de Heidegger n'aurait été que conjoncturel et tactique (ce qui n'exclut pas que de telles arrière-pensées expliquent en partie l'adhésion formelle) : rien dans le ton ni dans le «contenu» n'atteste un soutien du bout des lèvres ou par pur opportunisme ; le ton, c'est incontestable, est véhément et décidé : «Disponibilité jusqu'au plus extrême (*bis zum äusserten*) et camaraderie jusqu'à la dernière extrêmité»[45]. Quant au message lui-même, il ne manque à l'appel quasiment aucune des composantes du nazisme *de l'époque*. Le *Führerprinzip* : «Le Guide, lui-même et lui seul, *est* la réalité allemande présente et future, et sa loi»[46]. Non seulement le pouvoir absolu est remis aux mains de cet homme, au sens de la dictature romaine, mais plus radicalement la revendication fondamentale des nazis est reconnue : plus aucun droit n'existe hors au «vouloir transcendant» du Guide[47]. C'est vraiment une ère nouvelle qui commence : «La révolution nationale-socialiste apporte le bouleversement complet de notre existence (*Dasein*) allemande»[48]. Et ce changement est total, livré à l'Etat (totalitaire) : «Parce que l'Etat national-socialiste a changé notre réalité allemande tout entière, ce qui veut dire que toutes les représentations et pensées qui avaient cours jusqu'ici doivent également devenir autres»[49].

Qu'en est-il des deux autres sommets du triangle idéologique ? Le nationalisme impérialiste est présent, mais moins en sa positivité doctrinale qu'en ses connotations pratiques : approbation de la sortie de la Société des Nations[50], reprise en compte de la revendication d'annexion des Autrichiens et autres populations germaniques extérieures au *Reich* : «savoir ce que signifie le fait que dix-huit millions d'Allemands, bien que faisant partie du

45. Guido Schneeberger, *Nachlese...*, *op. cit.*, p. 42 ; *Le Débat*, n° 48, *trad. cit.*, p. 178.

46. *Id.*, *ibid.*, p. 135 ; *trad. cit.*, p. 183.

47. *Id.*, *ibid.*, p. 202 ; *trad. cit.*, p. 190.

48. *Id.*, *ibid.*, p. 135 ; *trad. cit.*, p. 182.

49. *Id.*, *ibid.*, p. 200 ; *trad. cit.*, p. 189.

50. *Id.*, *ibid.*, p. 145 ; *trad. cit.*, p. 184.

peuple, n'appartiennent cependant pas au *Reich* parce qu'ils vivent à l'extérieur des frontières du *Reich*»[51]. Et le racisme antisémite ? Il est absent aussi bien sous sa forme doctrinale que sous celle d'une approbation explicite des discriminations et persécutions ; cependant, aucune réserve n'est exprimée, même sous la forme voilée d'une allusion, pour critiquer les mesures déjà prises ; les évocations répétées du peuple alémanique[52] dans le contexte de l'époque équivalent, hélas, à un soutien tacite de cette politique, du moins dans sa première phase. Même si elle est prononcée dans un discours qui concerne la nouvelle conception de la science dans l'Université, une phrase fait frissonner (car on ne peut s'empêcher de la lire en ayant dans l'esprit la suite des événements) : «[...] une *rude lutte* est à mener dans l'esprit national-socialiste, lutte qui ne doit pas être étouffée par des idées humanitaires, chrétiennes, qui empêchent la nécessité absolue de se déployer pleinement»[53].

Le plus pénible dans cette relecture n'est pas le constat de l'enthousiasme (la prise de parti en elle-même avait peut-être des circonstances atténuantes), mais c'est la nature de l'argumentation mise au service de l'idéologie nazie. C'est alors Heidegger lui-même qui réduit sa philosophie et ses mots essentiels (*Dasein, Geschichtlichkeit, Entscheidung,* etc.) à leur plus radicale traduction-trahison politico-idéologique. Le dérisoire n'est pas que ces textes soient «poétiquement nuls» (pourquoi soudain réclamer de la poésie ?)[54], mais qu'ils soient philosophiquement caricaturaux. Ils ne contiennent pas seulement un *oui* conjoncturel à Hitler, mais l'aval le plus complet donné à la prétention d'inaugurer une époque, de rompre avec le progrès des sciences, de balayer le droit et les valeurs occidentales reconnues : «Que les règles de votre être ne soient ni des principes doctrinaux ni des «idées»[55]. Ce qui

51. *Id., ibid.*, p. 200 ; *trad. cit.*, pp. 188-189.

52. *Id., ibid.*, p. 171, 181 ; *trad. cit.*, p. 187, 192.

53. *Id., ibid.*, p. 74 ; *trad. cit.*, p. 181.

54. C'est Dominique Fourcade qui a qualifié l'engagement de Heidegger de «poétiquement nul», d'après François Fédier, *Heidegger : Anatomie d'un scandale, op. cit.*, p. 190.

55. *Id., ibid.*, p. 135 ; *trad. cit.*, p. 183. Phrase désavouée par Heidegger dans

est terrible, c'est de constater sous la plume du philosophe sa rhétorique (et son mode de dénégation) devenus *pathos*, et de la manière la plus violemment sophistique : «Le peuple allemand est appelé aux urnes par le Guide. Mais le Guide ne sollicite rien de la part du peuple. Il *donne* plutôt au peuple la possibilité la plus immédiate de la décision (*Entscheidung*) libre la plus haute : si lui, le peuple tout entier, veut ou ne veut pas son existence propre (*sein eigenes Dasein*)»[56]. Les mots-clés sont bien ceux d'*Etre et temps*. Mais surtout, l'auteur de ces lignes ne pouvait ignorer que ce Guide, étrangement taoïste, qui ne «sollicite rien» (*erbittet nichts*) *organisait* la plus radicale mise au pas du peuple : négativement (répression et terreur) et positivement (propagande effrénée). Il ne fait effectivement aucun doute que ledit peuple était «conquis» dans sa grande majorité ; mais cela justifie-t-il, *de la part du philosophe,* le jeu dénégateur (obéissant à une logique de propagande), la contre-vérité érigée en instrument de manipulation ?

Qu'en sera-t-il après 34 ? Ce que démontrent incontestablement les «nouveaux amers», ce n'est nullement un renversement ou un revirement, mais un déplacement qui aboutit à une dissociation entre «l'essentiel» et le «conjoncturel» (dissociation qui semble apparaître après les cours de 34-35 sur *La Germanie* et *Le Rhin*). La conversation de 1936 avec Löwith, dans sa version complète, avoue une déception concernant l'entourage de Hitler (en particulier, J. Streicher)[57]. Plus décisivement, la polémique contre l'idéologie biologisante et celle des «valeurs» — qui commence dès l'*Introduction à la métaphysique* (1935) — n'exclut nullement un soutien maintenu, à un niveau philosophique — hélas — beaucoup plus décisif que l'idéologie SA. Heidegger entend désormais penser la vérité historiale du national-socialisme sans masquer son mépris pour les «philosophes» les mieux introduits.

*

l'entretien au *Spiegel*, *art. cit.*, p. 198 ; *Réponses et questions...*, *trad. cit.*, p. 21.

56. Guido Scheeberger, *op. cit.*, pp. 144-145 ; *trad. cit.*, p. 183, modifiée.

57. Karl Löwith, *Mein Leben in Deutschland...*, *op. cit.*, p. 57 sq.

Une piste se dégage : ce qui cloue Heidegger sur le motif (c'est-à-dire, malheureusement, le passage sombre et mouvant du national-socialisme), c'est une *synapse de pensée* (l'historialisme destinal) qui ne se réduit nullement à l'*idéologie* nazie et qui transcende les goûts populistes, les attachements souabes, les opinions néo-conservatrices (que l'historien doit prendre en compte, bien entendu, mais qui ne doivent pas faire écran devant le travail créateur de la pensée). A l'intérieur même du contexte historico-culturel bouleversé par le séisme nazi, Heidegger pose des questions fondamentales (sur le nihilisme, la volonté de puissance, la technicisation) qui traversent de part en part l'idéologie nazie et sans doute toute idéologie : les intuitions du «Dépassement de la métaphysique»[58] sur le nihilisme planétaire, la lutte généralisée pour la puissance, l'usure de l'étant offrent toujours une actualité plus corrosive que tout discours politique, fût-il salutairement alarmiste.

La tâche maintenant : mieux comprendre la déconcertante logique interne d'une ontologie qui s'est muée — malgré elle ? — en philosophie de l'histoire. Cette déviation s'explique-t-elle dès *Etre et temps* ? Ne faut-il pas prendre Heidegger au mot, quand il conseille de revenir à la *lettre* des textes ? Toute son embardée n'est-elle pas discernable, explicable, dans ce que cette lettre offre et masque tout à la fois, dans la «tragédie de l'apparaître» que représente l'œuvre elle-même comme dévoilement exposé à l'errance ?

L'immédiat «après Farias» faillit conduire à lancer un solennel : «Adieu Heidegger». Il est souvent plus simple de rompre. Et il n'y aurait aucun déshonneur à tourner radicalement la page. Mais Pöggeler, devenu très sévère après avoir été des plus fidèles, note un trait profondément véridique chez Heidegger, au fond même de son œuvre et de sa pensée : il opte (du moins après 1933-34) pour Antigone, non pour Créon ; pour Nietzsche, Van Gogh, Hölderlin qui «échouent»[59]. Lui-même avouera «l'échec»

58. Martin Heidegger, *Vorträge und Aufsätze, op. cit.*, pp. 71-99 ; *Essais et conférences, trad. cit.*, pp. 80-115.

59. Otto Pöggeler, *Heidegger und die praktische Philosophie, op. cit.*, p. 36.

d'*Etre et temps*, l'échec du Rectorat, l'échec à guider le Guide vers un «possible» autre. La question devient : de ces blessures intimes, qui le distinguent quand même des brutes et des criminels, quelles leçons tirer ?

Chapitre 3

La politique introuvable ?

> C'est ainsi que l'homme fut mis en possession des arts utiles à la vie, mais la politique lui échappa.
>
> Platon, *Protagoras*, 321 d.

Antithèse vis-à-vis de ce qui précède : une lecture attentive et soutenue de l'œuvre de Heidegger n'y déloge pas facilement la question politique comme telle. Une politique introuvable ? Peut-on même aller jusqu'à soutenir qu'il n'y a aucun lien entre la philosophie d'*Etre et temps* et l'engagement politique de 33-34 ? Heidegger, penseur foncièrement apolitique, n'aurait, du fait de circonstances historiques dramatiques, rencontré la politique que contre son gré, pour s'y heurter aux pires malentendus et, finalement, voir ses pensées les plus hautes défigurées en leurs contraires grimaçants. C'est la thèse qui sera d'abord examinée et discutée, à partir d'*Etre et temps*, puis grâce à une relecture du *Discours de Rectorat*.

Si un lien — fût-il ténu et même négatif — peut être décelé entre l'interrogation ontologique et le souci politique («qui a rapport aux affaires publiques», dit Littré), ce fil se noue-t-il en une «politique ontologique», puis — après l'échec de celle-ci — en une dénégation de la politique ? Questions qui doivent traverser l'autocritique de Heidegger (qui est aussi une auto-réinterprétation) pour atteindre le niveau d'une véritable réévaluation critique des relations entre l'ontologie et la politique.

Le fil brisé

Dans quelle mesure la thèse soutenant l'absence de lien entre le travail philosophique antérieur et l'engagement de 33 est-elle défendable ? Elle paraît corroborée par les attaques venues du camp nazi : E. Krieck reprochait, en effet, à l'auteur d'*Etre et temps* d'avoir une philosophie incompatible avec le national-socialisme : «il n'y a rien là-dedans qui nous parle de peuple et d'Etat, de race et de toutes les valeurs de notre conception du monde national-socialiste»[1]. Pierre Aubenque, qui cite ces lignes, donne une réponse formellement identique, quoiqu'à partir d'une inspiration évidemment toute différente : «*Sein und Zeit* est manifestement une œuvre apolitique»[2]. Etant donné que Heidegger y procède à une «description formelle» de l'existence humaine, il ne fournirait «aucun critère pratiquement utilisable» pour servir de base à une authenticité déterminée politiquement ; par conséquent, il n'y aurait pas de «dépendance essentielle» entre la philosophie de Heidegger et son engagement de 33. Pierre Aubenque va même jusqu'à affirmer que «l'adhésion initiale de Heidegger au «mouvement» n'est pas un acte philosophique»[3].

Cette thèse doit être examinée avec une extrême attention : la suite de la discussion dépend en grande partie de l'appréciation de son degré de validité. Ce qui plaide en sa faveur est évident : à aucun moment, ni *Etre et temps*, ni les œuvres des années postérieures ne se présentent sous l'angle politique ; ni le projet fondamental — la reformulation et l'élaboration de la question de l'être — ni la progression de l'entreprise en ses différentes phases — le thème de l'analytique de l'Existant[4], la distinction des «existen-

1. Cité par Guido Schneeberger, *Nachlese zu Heidegger*, *op. cit*, p. 225.
2. Pierre Aubenque, «Encore Heidegger et le nazisme», *Le Débat*, n° 48, janvier-février 1988, p. 118.
3. *Id.*, *ibid.*, p. 119.
4. Si nous osons ainsi traduire *Dasein*, c'est que nous croyons que sa non-

tiaux», la critique de la quotidienneté, l'approche d'un nouveau sens de la temporalité, etc. — ne conduisent à un quelconque «programme» de réforme ou de révolution politiques (ni, d'ailleurs, de conservation). Non seulement Heidegger est en dialogue, d'un bout à l'autre d'*Etre et temps*, avec des auteurs métaphysiques et non politiques (même si ces «grands» de la pensée métaphysique, à commencer par Platon et Aristote, ont eu aussi une philosophie politique), mais — Pierre Aubenque a raison de le rappeler — la méthode est essentiellement *formelle* (la «structure formelle» de la question de l'être est soulignée dès le § 2). A cet égard, Heidegger reste tout à fait fidèle à l'exigence de «neutralité» de l'*épokhé* phénoménologique, y compris dans son analyse de la «décision résolue». A ces arguments, déjà en principe suffisants, on peut ajouter une démonstration supplémentaire excipant de la fragilité, voire de l'absurdité, des essais d'assimilation idéologique entre *Etre et temps* et le nazisme. Sur ce point, G.A. Goldschmidt a poussé la polémique fort loin, en écrivant dans *Le Monde* que : «tant par le style que par le vocabulaire, *Sein und Zeit* est malheureusement assez proche, à partir de sa seconde section, de *Mein Kampf*»[5]. Ce rapprochement audacieux, non soutenu par des exemples, est plus circonscrit qu'il n'y paraît à la première lecture : il se limite à la seconde section et fait abstraction du contenu. Dont acte. Cependant, même en s'en tenant au vocabulaire, on cherche en vain dans *Etre et temps,* y compris en sa seconde section, la phraséologie raciste attaquant à chaque page la «juiverie» et la «ploutocratie anglo-saxonne», tout l'arsenal vulgaire d'une propagande effrénée autour de la «vision du monde» nazie. Il n'y est pas prôné une «vision du monde», encore moins le ralliement à un parti ! Inversement, impossible de créditer *Mein*

---

traduction systématique risque d'en faire un étrange objet indicible et incompréhensible, ce qui n'était certainement pas l'intention de Heidegger. Nous revenons sur cette question dans «L'analytique existentiale et la question de la subjectivité», *Etre et temps de Martin Heidegger. Questions de méthode et voies de recherche*, textes réunis par J.-P. Cometti et D. Janicaud, n° spécial de la revue *Sud*, Marseille, 1989, p. 46, n. 3.

5. Georges-Arthur Golschmidt, «Heidegger : l'allemand et le ressentiment», *Le Monde*, 13 janvier 1988, p. 2.

Kampf des concepts qui font la richesse herméneutique d'*Etre et temps* y compris en sa seconde section : le «souci» (*Sorge*), la «conscience» (*Gewissen*), la «faute» (*Schuld*), la compréhension d'une temporalité et d'une historicité radicalement réinterprétées. L'outrance du rapprochement sera-t-elle atténuée par la concession suivante de G.-A. Goldschmidt : «on ne peut en juger en français» ? Etrange confirmation polémique du privilège de l'allemand, si violemment attaqué par Farias. Non seulement Hitler et Heidegger sont nés la même année, mais ils parlent tous deux allemand. Des séances prolongées de déclamation permettraient-elles de saisir comme assez proches (stylistiquement ?) des phrases signées Hitler : «Dass man ein Volk nicht durch Beten freimacht, weiss man im allgemeinen»[6] et Heidegger : «Das *Ziel* ist die Ausarbeitung der Seinsfrage überhaupt»[7] ? Suivant quelle règle opérer ces «rapprochements», si l'on fait abstraction du contenu ? Suffit-il de renvoyer à Adorno et à son *Jargon de l'authenticité* ? N'est-ce pas oublier, au seul détriment de Heidegger, que la pseudo-authenticité nazie a rétrospectivement pollué de grands textes germaniques où apparaissait le vocabulaire de l'«appropriation» ou même de la «décision résolue», par exemple Eckhart, Luther, Hölderlin, Nietzsche ? N'est-il pas attristant — et contraire à la bonne cause qu'on prétend défendre — de faire à la phraséologie haineuse et verbeuse de Hitler l'honneur de devenir, en somme, la vérité d'un discours ontologique auquel on dénie finalement toute dignité propre ? Le même G.-A. Goldschmidt a écrit ailleurs une phrase révélatrice dont il n'a peut-être pas mesuré toute la gravité : «La «pensée» de Heidegger n'est que l'ombre d'Auschwitz»[8]. On comprend pourquoi il fallait s'en tenir au style, puisque la pensée de Heidegger n'existe pas : C.Q.F.D.

Farias est, en un sens, un peu plus sérieux (à peine, puisqu'il ne consacre à l'œuvre maîtresse du philosophe, dont il entend

6. «Qu'un peuple ne se libère pas en priant, on le sait universellement» (Adolf Hitler, *Mein Kampf*, Munich, 1938, II, p. 777).

7. «Le *but* est l'élaboration de la question de l'être en général» (Martin Heidegger, *Sein und Zeit*, Tübingen, Niemeyer, 11. Auflage, 1967, p. 436).

8. Georges-Arthur Goldschmidt, *La Quinzaine Littéraire*, 1ère quinzaine de novembre 1987.

démontrer le nazisme, que quelques pages sur les 305 que compte son texte)[9]: il envisage des «correspondances» qui sont porteuses des thèmes annonciateurs des «préférences politiques» de Heidegger[10]. Il reconnaît qu'il ne suffit pas de mettre en cause la «destruction» d'un concept objectivable de la vérité, au profit de l'antéprédicatif (en référence au § 44). «Pour aller plus loin — écrit-il doctement —, il faudrait montrer quels sont les véritables moments, dans *Etre et temps*, que l'on peut effectivement considérer comme annonciateurs de l'évolution ultérieure de Heidegger»[11]. Le fait-il vraiment ? A partir d'une remarque juste (l'authenticité n'est pas solipsiste), il glisse directement au § 74, ce qui lui permet de donner une impression de précision relative, tout en ignorant superbement la quasi totalité d'un ouvrage dont il affirmera, en conclusion, qu'il «met en place, positivement, des éléments proprement fascistes»[12]. Quels sont donc ces éléments ? Farias essaie d'abord de soutenir que c'est la tradition qui fonde l'existence authentique, tout en s'appuyant sur une citation de la p. 385 d'*Etre et temps*, qu'il ne commente même pas et qu'il ne cherche pas à comprendre, puisqu'il soutient que «tradition» et «héritage» sont «deux formes d'une autre réalité qui les fonde [...] : le peuple»[13]. C'est là un contresens complet : la tradition n'est pas, selon Heidegger, un «archétype». Il aurait suffi que Farias poursuivît d'une ligne sa lecture de la p. 385 pour relever que : «la répétition est la tradition expresse, c'est-à-dire le retour aux possibilités de l'existant-ayant-été». D'autre part, la répétition ne peut se «fonder» sur la tradition, puisqu'elle est un mode de la «déclosion décisive» (*Entschlossenheit*). L'Existant est, en effet, «ontologiquement d'avenir» (*in seinem Sein zukünftig*). Voilà une phrase qui aurait pu embarrasser notre auteur, s'il s'était interrogé sur le renouvellement, par Heidegger, de la compréhension de la temporalité. Comme il n'a cure de celle-ci ni de son sens ontolo-

9. Farias, *op. cit.*, pp.72-76.

10. *Id., ibid.*, p. 75.

11. *Id., ibid.*, p. 73.

12. *Id., ibid.*, p. 76.

13. *Id., ibid.*, p. 74.

gique, il se tire de cette difficulté en revenant à un schéma «conservateur-révolutionnaire» : «Le peuple doit être, dans le futur, ce que les héros ont représenté dans la tradition»[14]. La répétition serait la reprise d'un contenu (ontique) identique ; Heidegger dit le contraire. En chemin, Farias mutile encore le texte sur plusieurs points essentiels. Il fait croire que l'acte constitutif de la décision est le combat seul ; or nous lisons : «C'est dans la communication (*Mitteilung*) et dans le combat (*Kampf*) que se libère la puissance du partage (*die Macht des Geschickes*)»[15]. La communication a simplement été passée sous silence ! Faut-il rappeler cependant à quel point la solidarité ontologique qu'exprime «l'être-avec» exclut que le combat soit la relation exclusivement constitutive avec autrui ? C'est un des points sur lesquels Sartre avait marqué son désaccord avec Heidegger : «L'essence des rapports entre consciences n'est pas le *Mitsein*, c'est le conflit»[16]. Deuxièmement, Farias fait croire que l'agent de la décision est directement la communauté du peuple. Heidegger rappelle certes que l'Existant est «être-avec» et que, pour cette raison, son devenir est devenir-avec et partage (*Geschick*)[17] ; mais le sujet de ces pages est un Soi, existant, libre pour la mort et assumant son choix angoissé (il n'est nullement fondu dans la communauté). Troisièmement — ce travestissement est sans doute le moins innocent —, alors que Heidegger dit que dans la répétition authentique «le Dasein se choisit ses héros»[18], Farias s'arrange pour mettre, par deux fois, ce pluriel au singulier (p. 75 et p. 76 où nous lisons même le Führer !)[19].

Tant de coups de pouce en si peu de pages ! Si la thèse de Farias était soutenable, ne trouverait-elle pas plus facilement une base argumentative précise ? Nous constatons plutôt, en consultant la p. 75, qu'elle aboutit à l'autocontradiction : on lit, à quatre

14. *Id., ibid.*, p. 75.
15. Heidegger, *Sein und Zeit, op. cit.*, p. 384.
16. Jean-Paul Sartre, *L'être et le néant*, Paris, Gallimard, 1948, p. 502.
17. Heidegger, *Sein und Zeit, op. cit.*, p. 384.
18. *Id., ibid.*, p. 385.
19. Farias parle aussi d'une «élimination», par Heidegger, de l'opinion publique (*Heidegger et le nazisme, op. cit.*, p.76), alors que l'inévitabilité de la «chute» dans l'*Öffentlichkeit* est, au contraire, sans cesse soulignée.

lignes de distance, que l'idéal de Heidegger en 1927 est «une sorte de communautarisme traditionaliste-révolutionnaire» et que ses préférences politiques «se présentent en toute clarté». Une sorte [...] : c'est le contraire d'un modèle clair ! En outre, l'expression «communautarisme» est totalement inadéquate.

Pour en terminer sur ce point, notons que Farias est passé d'une formulation relativement souple de sa thèse (et qui sollicite l'assentiment) à une conclusion dure (et qui tend à impressionner le lecteur). Selon la première formulation (p. 74), *Etre et temps* présente «un horizon philosophique qui enveloppait la possibilité du choix ultérieur» (parmi d'autres ?) ; selon la seconde, le livre «met en place, positivement, des éléments proprement fascistes» (p. 76). Nous venons de constater que cette thèse traite le texte d'*Etre et temps* avec peu de scrupules. Il est plus raisonnable, et conforme à la vérité, de constater avec George Steiner[20] que personne ne se serait avisé d'aller chercher rétrospectivement des «traces» politiquement suspectes au vu du seul texte d'*Etre et temps*. Il s'agit d'un livre philosophiquement surdéterminé, d'une richesse herméneutique peu commune. Il dessine l'*épure* des structures de l'«ek-sistence». De fait, depuis soixante ans, de nombreuses «grilles» ont été proposées : en France, le succès de la lecture sartrienne a occulté l'approche médicale (Medard Boss) ou théologique (Bultmann) ; on a plus souvent entendu la «déclosion décisive» en un sens augustinien ou kierkegaardien qu'en fonction du contexte politique des dernières années de la République de Weimar. On pourrait aussi soutenir (ce ne serait pas le plus absurde, bien que ce soient des exemples douloureux) que des poètes comme Trakl ou Celan témoignent de ce que peut être la «déclosion décisive» de l'existant poétique. En tout cas, la lecture politique n'est certainement pas la seule possible et elle risque d'être singulièrement stérilisante, si elle se fait exclusive.

Une fois écartée la thèse extrême d'une lecture unilatéralement politique d'*Etre et temps*, devons-nous admettre la thèse adverse,

20. A l'émission de télévision *Océaniques* consacrée à Heidegger (FR3, décembre 1987). Cependant, à la p. 158 de son *Martin Heidegger* (Paris, Albin Michel, 1981), Steiner décèle dans les dernières sections d'*Etre et temps* des «liens effectifs» avec le langage et la vision du nazisme.

introduite d'emblée, celle de l'apolitisme intégral ? A y regarder de près, Pierre Aubenque lui-même ne soutient pas l'absence de tout lien entre *Etre et temps* et l'engagement de 33 : «*Sein und Zeit* est manifestement une œuvre apolitique. C'est même cet apolitisme qui la rend négativement responsable de l'engagement politique de Heidegger, en ce sens qu'elle n'a pas su l'empêcher»[21].

Nous voyons déjà en quoi Aubenque a raison. Puisqu'il n'y a pas de philosophie politique positive et déterminée dans *Etre et temps*, puisque même les «quelques éléments fascistes» prétendûment isolés par Farias n'apparaissent tels qu'au prix de schématisations passablement désinvoltes, Heidegger ne pouvait en «déduire» son adhésion au national-socialisme. Reste l'hypothèse, beaucoup plus vraisemblable, d'un lien seulement négatif entre le chef-d'œuvre de 27 et l'engagement de 33. Cette énorme erreur ne serait d'origine philosophique que *par défaut*. C'est justement l'absence de toute philosophie politique — et peut-être même d'une éthique — qui aurait considérablement «fragilisé» Heidegger.

La difficulté qui se profile n'est cependant pas négligeable : l'absence de philosophie *politique* au sein de la philosophie de Heidegger a elle-même un sens philosophique. Ce défaut n'est pas un manque extérieur à la pensée : il lui est imputable. Il faut donc l'expliquer d'une manière ou d'une autre, mais sans faire abstraction de la pensée qui constitue bien l'horizon à partir duquel ce choix a été fait (même si les circonstances et des motivations non philosophiques ont joué également). Le terme même d'*apolitisme* est galvaudé, non dénué d'ambiguïtés. S'il s'avère approprié dans le cas de l'auteur d'*Etre et temps*, c'est en un sens philosophique qu'il faut à tout prix préciser.

*Un fil renoué : l'«apolitique» d'*Etre et temps

Notre thèse prend maintenant forme : s'il n'y a pas de politique dans *Etre et temps*, il y a une «apolitique». Ce terme est à entendre au sens ontologique : l'Existant est *apolis* ; il ne se définit origi-

21. Pierre Aubenque, *art. cit.*, pp. 118-119.

nairement ni comme *animal rationale* ni comme animal politique (ce qui, chez Aristote, va de pair). Bien que Heidegger ne consacre pas de développement explicite à la politisation et à l'apolitisme, il est dans la logique de son propos de considérer qu'il s'agit de deux attitudes complémentaires et susceptibles de glisser l'une dans l'autre au gré des circonstances. Le «on» est coutumier de ce genre de renversement. L'apolitisme comme indifférenciation est une attitude elle-même di-vertie, non appropriée ni assumée ; elle n'exclut ni le bavardage, ni la curiosité, ni l'équivoque — traits caractéristiques du «on».

Pour éclairer ce qui vient d'être avancé, il faut rappeler ce que l'analytique existentiale vise à «détruire» au premier chef : la définition de l'homme comme *animal rationale*. Après avoir rappelé que «la personne n'est ni une chose, ni une substance, ni un objet»[22], Heidegger propose une critique radicale de l'anthropologie antique et chrétienne. Le premier volet — antique — de cette définition, *zôon logon ekhon*, est fort brièvement (et expéditivement) critiqué, en tant qu'il renforce l'oubli de l'être : «Le mode d'être du *zôon* est ici compris au sein de l'être-présent et de ce qui survient». La définition de l'homme comme vivant est ontique. Quant au *logos*, il constitue «un équipement supérieur, mais dont le mode d'être demeure aussi obscur que celui de l'étant ainsi composé»[23].

Oubli de l'être en sa différence insigne, obscurité (c'est-à-dire absence de pensée) concernant les notions opératoires : nous avons ici les deux traits que l'analytique existentiale ne va pas seulement vouloir corriger, mais qu'elle vise à éradiquer par son élucidation du privilège ontico-ontologique de l'Existant. L'analytique existentiale conjoint, sous le signe de la Différence, le souci de l'existence (qui reprend de manière appropriée ce que «l'animalité» recouvrait) et le projet de compréhension de celle-ci (qui pense au plus proche ce que la «naturalité» du *logos* occultait). Or il suffit de se reporter au début de *La Politique* d'Aristote pour constater que «l'homme est par nature un animal politique»[24]. La

22. Heidegger, *Sein und Zeit*, *op. cit.*, p. 47.

23. *Id.*, *ibid.*, p. 48.

24. Aristote, *Politique*, 1253 a 3.

définition de l'homme comme animal «raisonnable-parlant» est indissociable de sa situation comme «animal politique». C'est parce qu'il peut parler que l'homme peut «exprimer l'utile et le nuisible et, par suite aussi, le juste et l'injuste»[25]. La parole proférée dans l'espace de la Cité permet à l'homme de déployer ses potentialités rationnelles, ses vertus, et de réaliser ce Bien auquel il tend par nature. S'il prétend y échapper par défaut ou par surcroît d'être, il est «ou une brute ou un dieu»[26]. La concaténation qui soude l'humain au rationnel-citadin-politique constitue cette métaphysique naturelle avec laquelle Heidegger ne cesse de s'expliquer tout au long d'*Etre et temps*, jusque dans sa déconstruction du «concept vulgaire» du temps.

Il est donc évident que Heidegger croise ici la question politique, bien qu'il n'en pipe mot ; mais il ne la rencontre qu'en vue de la subordonner décisivement à la question ontologique. Pour le *Dasein*, l'Existant par excellence, ce qui compte désormais, c'est ce qui est *daseinsmässig* : véritablement à sa mesure, à l'aune de sa différence foncière. Cette exigence implique une redistribution transcendantale-structurelle complète qui vise à l'appropriation de cette différence radicale. De fait, dans *Etre et temps*, l'Existant est pensé comme *apolis*, c'est-à-dire — dans les termes d'Aristote — comme pouvant être aussi bien une brute ou un dieu. L'analytique existentiale prend mesure de la démesure de cet être.

Cependant, parmi les possibles qui s'offrent à l'Existant, il y a «d'emblée et le plus souvent» (expression extrêmement fréquente dans *Etre et temps*) celui d'être avec autrui sur le mode du «on». Ce champ ontologique dévié ou «distrait», qui n'est — selon Heidegger — que trop accessible, correspond bien à cette dimension (fondée en nature) où s'articulent rationalité, parole et vie dans une communauté politique. Autrement dit, c'est bien le *même champ*, celui de la quotidienneté et de la *doxa*, sur lequel Aristote construit une économie et une politique — et par rapport auquel Heidegger prend un radical recul ontologique. Mais Aristote ne se contente pas d'établir les conditions générales de

25. *Id., ibid.*, pp. 13-15.

26. *Id., ibid.*, p. 28.

l'existence de l'homme dans une communauté réglée par la recherche de l'intérêt commun. Il fait une étude méthodique et structurelle des avantages des trois constitutions correctes (royauté, aristocratie et république) ainsi que des inconvénients de leurs déviations (tyrannie, oligarchie et démocratie), à partir de ce principe (idéal) que «l'Etat n'est autre qu'une communauté d'hommes libres»[27]. Cette recherche est elle-même guidée par la prise en considération du juste milieu.

Ce rappel n'est pas destiné à reprocher à l'auteur d'*Etre et temps* l'absence de telles analyses, qui ne constituent nullement le but exprès d'une analytique existentiale. Il permet cependant de comprendre que le radicalisme ontologique de Heidegger n'offre plus de fondement pour une *éventuelle* étude structurelle et critique des formes de souveraineté, à partir du moment où l'espace social quotidien, caractérisé comme ambigu, bavard et curieux, ne paraît pas apte à devenir le vecteur de déterminations ontologiques positives. Les caractères négatifs assignés au «on» recoupent, au fond, sans que Heidegger en convienne jamais, la dépréciation platonicienne de la *doxa*. Cette existence anonyme, instable, à l'affût des nouveautés, n'est-ce pas celle que l'on mène sur l'agora toujours exposée aux vifs reflets de l'apparence ? Loin d'offrir l'occasion d'un juste (et meilleur) milieu, elle ne semble secréter que médiocrité.

Heidegger répondrait qu'il n'a pas une conception *péjorative* du «on», mais qu'il le reconnaît comme une structure inévitable de l'existence[28], le «divertissement» étant notre lot quotidien et constitutif de notre être. Ces dénégations sont fréquentes dans *Etre et temps* : rappelons, par exemple, celle qui ouvre le § 35 sur le bavardage : «L'expression «bavardage» ne doit pas être entendue en un sens péjoratif. Elle signifie terminologiquement un phénomène positif qui constitue le mode d'être du comprendre et de l'interpréter de l'existant quotidien»[29]. Il n'empêche que toute la marche de l'Existant vers l'appropriation se fera contre le «on» et impliquera sa critique (par exemple, en ce qui concerne l'incapa-

27. Aristote, *Politique*, III, 6, 1279 a 22.

28. Le «on» étant lui-même un existential (voir *Sein und Zeit*, *op. cit.*, p.129).

29. *Ibid.*, p. 167.

cité du «on» à choisir)[30] ; et l'on ne peut pas prétendre que les connotations du «bavardage» soient particulièrement favorables, puisque s'y manifeste l'absence de cette réciprocité de l'écoute et du dire qui fait du discours un «existential». En outre, il est intéressant de relever que le vocabulaire appliqué au «on» est non seulement défavorable, mais souvent, volontairement ou non, *politique* : à propos du «on», il est question de sa «dictature», de son caractère «autoritaire»[31].

Il y a donc bien, dans *Etre et temps*, une phénoménologie surtout négative de l'«être-avec», laquelle ne débouche à aucun moment sur une phénoménologie positive de la sociabilité politique. Le tournant fondamentalement ontologique que Heidegger fait subir au projet phénoménologique, dès le § 7, rabat l'espace rationnel-citadin-politique du côté du «on» et ne laisse ouvert à l'Existant soucieux de son possible qu'une «apolitique», c'est-à-dire une sociabilité authentique indéterminée et — comme l'aurait dit Hegel — abstraite. Le Soi, qui est conduit vers l'appropriation la plus poussée de son ek-sistence, est appelé à son possible le plus propre, le plus fidèle. Et le critérium de cette appropriation n'est ni la tradition ni la fusion dans le peuple, comme le prétend Farias, mais le souci de soi : «Les deux modes d'être de l'existence appropriée (*Eigentlichkeit*) et de l'existence inappropriée (*Uneigentlichkeit*) — ces expressions sont choisies terminologiquement au sens le plus rigoureux — se fondent dans le fait que l'Existant est, en général, déterminé par le souci de soi (*Jemeinigkeit*)»[32].

Le problème proprement politique (c'est-à-dire celui de savoir comment les existants ontologiquement souverains, mais toujours exposés à retomber dans le «on», vont vivre ensemble, suivant quelle distribution de l'autorité, quelles règles de gouvernement, en fonction de quelles lois civiles et de quelles contraintes économiques, etc.) reste totalement ouvert. Le moment où s'ébauche le mieux une «sociabilité authentique» est le paragraphe sur le dis-

30. *Ibid.*, p. 391.
31. Voir *ibid.*, p. 126, 128.
32. *Ibid.*, pp. 42-43.

cours (qui fait la jonction entre l'existential immédiat de l'affection-émotion et l'existential médiat de la compréhension-interprétation) qui permet de discerner que Heidegger recherche un «être-avec» non soumis aux impératifs de la présence constante, un être qui — comme l'avait vu Sartre — s'éprouve existentiellement dans l'atelier ou dans l'équipe sportive[33]. Il faut être à l'œuvre ensemble et c'est alors qu'on se comprend sans mots, que le dialogue devient partage en sa rupture même.

Il n'y a rien là de politiquement déterminé. A preuve : à partir de cette radicalité ontologique et de cette recherche à tout prix de l'authenticité, les attitudes politiques les plus opposées sont possibles (la révolution culturelle de type maoïste aussi bien que le choix fatidique de 33), mais aussi des attitudes non politiques (la conversion évangélique au sens d'Augustin qui inspire tant Heidegger dans *Etre et temps* ; l'exposition la plus décidée à l'illumination poétique ou artistique, comme chez Hölderlin, Van Gogh, Trakl, Celan).

L'apolitisme résulte souvent de l'indifférence. L'«apolitique» d'*Etre et temps* découle, au contraire, d'un souci exacerbé de la différence, de l'appropriation extrême de *ma* condition mortelle, qui m'écarte de la Cité au quotidien pour ne me livrer que l'aplomb d'autrui dans le partage ou le combat. Telle est ma condition en quête de la futurition d'une dimension vraiment initiale.

Le radicalisme ontologique de cette «apolitique» recélait-il un danger ? Oui : parmi d'autres, celui auquel a succombé ensuite Heidegger et qui peut être ainsi caractérisé : vouloir constituer directement une politique authentique, existentiale-ontologique ; vouloir refonder une politique sur la *différence* uniquement. Quelle gageure, puisque l'espace rationnel-citadin-politique a été littéralement déserté, vidé de ses déterminations positives (alors que la vérité comme rigueur d'adéquation aussi bien que tout idéal éthique ont été également déconstruits) ! Mais cette désertion ou ce retrait auraient pu être provisoires, si Heidegger n'avait pas cédé à la tentation — peut-être du fait du retentissement inespéré du livre — de faire d'*Etre et temps* la pierre angulaire d'une nou-

33. Voir J.-P. Sartre, *L'être et le néant, op. cit.*, pp. 302-303.

velle *fondation* radicale (ce qui consistait à s'engager, sans en assumer explicitement les contraintes, dans une logique métaphysique encore platonicienne).

Fait curieux : Heidegger ne s'est pas rendu compte que la rationalité aristotélicienne qu'il mettait alors de côté n'était point celle de la *mathesis universalis* (universellement dominatrice et réduisant le monde en chose étendue) : une rationalité artisanale, poïétique et prudente dont Heidegger éprouve pourtant toute la portée ontologique au niveau de la maniabilité et de ses tours, rationalité si précieuse dans un domaine exposé à toutes les errances, comme l'est la politique.

L'imbroglio : la «politique originaire»

A une quinzaine d'années de distance et dans des circonstances différentes, les mêmes causes ont produit les mêmes effets : l'«apolitique» s'est muée en politique existentiale ou existentielle. Dans les deux cas, l'échec. Pour Heidegger, l'écueil se nomme Hitler ; pour Sartre, Staline. Des deux côtés, il est impossible de nier que la philosophie ne soit pas impliquée dans ces choix ; Sartre n'a, d'ailleurs, pas cessé de prôner l'engagement en tant que philosophe et à partir de sa philosophie existentielle (bien qu'il ait ensuite tenté d'inscrire celle-ci dans les «structures d'enveloppement» historico-sociales). Significative à cet égard est la note liminaire à la livraison de janvier 1946 des *Temps modernes* : «... c'est le même homme qui philosophe et qui choisit en politique. Il est possible, il sera nécessaire de rechercher ce qui dans l'existentialisme d'Heidegger pouvait motiver l'acceptation du nazisme. Faite pour Hegel, cette analyse lave de toute suspicion l'essentiel de sa philosophie, la pensée dialectique. Quand on la fera pour Heidegger, elle lavera de toute suspicion l'essentiel de sa philosophie, la pensée existentielle[...] Davantage : elle montrera peut-être qu'une politique «existentielle» est aux antipodes du nazisme [...]» Comme l'écrit Yaron Pesztat qui cite ce texte[34], Sartre et son équipe n'hésitaient pas à accorder *a priori* une appréciation totalement favorable à Heidegger ; mais il y a

34. «Heidegger et le nazisme», *Points critiques*, Bruxelles, janvier 1988, p. 24.

plus insolite : le concept de «politique existentielle» semble s'imposer avec une totale évidence ; et, de même, la présupposition que cette politique va forcément dans le sens de l'émancipation. On comprend le scepticisme d'un Raymond Aron devant une aussi belle assurance insoucieuse des spécificités de la dimension politique et récusant témérairement d'éventuels démentis de l'expérience.

Mais revenons à Heidegger, pour affirmer tout net : autant Pierre Aubenque pouvait être suivi quand il niait qu'*Etre et temps* fût une œuvre politiquement orientée, autant sa position paraît difficilement soutenable à propos de 33 : «L'adhésion initiale de Heidegger au «mouvement» n'est pas un acte philosophique»[35]. Peut-on isoler ponctuellement «l'adhésion initiale» de l'adhésion tout court ? Aubenque ne réduit pas, d'ailleurs, cette adhésion à un acte d'opportunité (à laquelle Heidegger lui-même a fait sa part)[36]; il la banalise en la rattachant à des «millions d'autres cas». Cet argument a une certaine vérité ; mais il serait plus convaincant, si Heidegger n'avait donné aucune justification philosophique de son engagement. Or ce qui fait question philosophiquement, c'est qu'il a justifié sa prise de parti dans des textes qu'il n'a jamais reniés[37] ou qu'il a même repris (comme le *Discours de Rectorat*) dans ses Œuvres complètes. Lacoue-Labarthe est donc fondé à soutenir que «contrairement à ce qu'on a pu dire ici ou là, l'engagement de Heidegger est d'une absolue cohérence avec sa

35. Pierre Aubenque, *art. cit.*, p. 119.

36. Heidegger a nettement indiqué que son acceptation du Rectorat découlait des positions exprimées dans *Qu'est-ce que la métaphysique?*, en particulier contre la spécialisation excessive des disciplines. Quant à l'adhésion au Parti, il fait état à la fois de sa sincérité («je voyais cette possibilité-là») et de son sens de l'opportunité («je savais que je ne m'en tirerais pas sans compromis») dans l'entretien accordé au *Spiegel*, mais il ne s'est jamais expliqué ni complètement ni fondamentalement sur une éventuelle liaison entre sa pensée et son engagement de 33 (voir *Réponses et questions sur l'histoire et la politique*, Paris, Mercure de France, 1977, p. 21, 22 ; «Le rectorat.1933-1934. Faits et reflexions», *Le Débat*, novembre 1983, p. 74-89).

37. Sauf la proclamation aux étudiants publiée dans la *Freiburger Studentenzeitung* du 3 novembre 1933 (voir Guido Schneeberger, *Nachlese zu Heidegger, op. cit.*, p. 136 ; Martin Heidegger, *Réponses et questions..., op. cit.*, p. 21).

pensée»[38], sous cette réserve que cette pensée est dans un état de tension extrême entre des exigences opposées. Pour tester cette thèse, on dégagera maintenant — en repartant du *Discours de Rectorat* — les traits essentiels de la politique «existentiale-ontologique», tout en posant la question de sa cohérence (ou de ses contradictions) par rapport à *Etre et temps*. Que Heidegger se soit fourvoyé dans un imbroglio existentiel-politique, personne ne le nie ; lui-même l'a reconnu. Il est instructif d'*analyser* en quoi cet imbroglio est philosophique.

Le *Discours de Rectorat* fournit un spécimen exemplaire de la pensée de Heidegger au moment même de son engagement[39]. Prononcé le 27 mai 1933, c'est un texte solennel, mais en même temps militant *et* philosophique. Texte qui se veut plein de grandeur et effectivement manifeste tenue et densité, ce qui ne veut pas dire qu'il n'est pas éminemment critiquable. Finie l'«apolitique» ! D'emblée, l'allusion à la *Führung* (p. 5) ne laisse aucun doute sur l'engagement du Recteur, même si celui-ci ajoute que «les guides sont guidés». Le Discours n'est pas une description, une analyse, mais un appel — un appel au peuple allemand à travers cette communauté universitaire de Fribourg qui se presse ce jour-là dans l'Aula Maxima. Texte philosophique non marginalement ni par surcroît : son thème est la «répétition» du commencement grec par la refondation philosophique des sciences ; son projet même est donc la fondation philosophique de l'université allemande et, à travers elle, de l'existence allemande.

La politique dont il s'agit est bien une politique originaire. D'abord, parce qu'aucun «programme» précis n'est envisagé, à part le ralliement de principe au *Führer* et la justification des trois «services». Ensuite et surtout, parce que ce discours est destiné à «édifier» le peuple (universitaire) qui est là, à lui parler de cette «mission spirituelle» qui l'attend, à l'exhorter à *vouloir* cette mission et à être à sa hauteur : «le commencement *est* encore» (p.11) ; et le questionnement philosophique offre «de nouveau immédiate-

38. Philippe Lacoue-Labarthe, *La fiction du politique*, Paris, Bourgois, 1987, p. 38.

39. Elu recteur le 21 avril, il adhère au NSDAP le 1er mai.

ment» (*wieder unmittelbar*) le sens historial de la science, jusqu'ici séparée en spécialités (p. 12).

Ce qui frappe, en outre, dans ce Discours, c'est son caractère extraordinairement métaphysique (et, en même temps, intensément germanique, par son obsession du «fondamental» sur laquelle Nietzsche aurait sans doute ironisé). Jacques Derrida a relevé la réapparition enflammée, et sans guillemets, du *Geist* et de l'adjectif *geistig* dans le Discours[40] ; d'autres mots-clés de la tradition métaphysique — volonté, essence, le Soi, la science — y jouent également un rôle stratégique. Le concept lui-même fait, si l'on peut dire, un retour en force (p. 15) et jusque dans une phrase des plus hégéliennes : «le corps des enseignants et celui des étudiants doivent une bonne fois, chacun à sa façon, être *saisis* par un tel concept de la science et *rester* saisis par lui» (p. 18)[41]. Il est honnête d'ajouter que nous ne pouvons opérer ce recul que grâce aux questions posées par Heidegger lui-même avant et surtout après ce Discours, dans la mesure où la tâche d'une «destruction de l'histoire de l'ontologie» a été repensée, bien après *Etre et temps,* pour *situer* le métaphysique dans la métaphysique. Doit-on interpréter ce retour à la métaphysique comme une rupture par rapport à *Etre et temps* ou comme une régression provisoire (et peut-être tactique) de la tâche de déconstruction ? C'est la continuité d'inspiration qui semble l'emporter, malgré tout.

Heidegger lui-même a marqué que la refondation de l'unité des disciplines dans leur sol philosophique-ontologique était énoncé dans *Qu'est-ce que la métaphysique ?* et expliquait, en grande partie, son acceptation du Rectorat[42]. En son sens proprement philosophique, en son projet comme en sa réalisation, le Discours unit la tâche de la destruction et celle de la «répétition» (telle que celle-ci était annoncée et pratiquée, à l'ouverture et à la

40. Jacques Derrida, *De l'esprit. Heidegger et la question*, Paris, Galilée, 1987, p. 54 sq.

41. La pagination est celle de la traduction par Gérard Granel : Martin Heidegger, *Die Selbstbehauptung der deutschen Universität. L'auto-affirmation de l'université allemande*, Mauvezin, TER, 1982.

42. Voir Martin Heidegger, *Réponses et questions...*, *op. cit.*, pp. 14-15.

clôture d'*Etre et temps*) : destruction de la tradition sclérosée (dans une théorie close sur elle-même, purement contemplative, ou dans l'hyper-spécialisation de la science), «répétition» du grand commencement grec (en tant que reprise d'une interrogation fondamentale sur l'étant dans son ensemble et d'une soumission à la surpuissance de la nécessité destinale). Quand Heidegger proclame : «Nous nous voulons nous-mêmes» (*Wir wollen uns selbst*) (p. 22), il s'agit bien d'un appel à l'authenticité (*Eigentlichkeit*) par un approfondissement du souci de soi —thème constant d'*Etre et temps*. Puisque cette appropriation se fait par une ressaisie destinale de la temporalité, c'est véritablement une répétition qui déploie la temporalité «appropriée». La «décision-résolue» avec et pour le peuple est en accord avec *Etre et temps* en sa p. 384. Le Discours est, sous cet angle, un exercice d'*appropriation* d'une liberté qui trouve sa finitude destinale.

La continuité semble donc l'emporter de loin sur la rupture. Au demeurant, la *Destruktion* n'est pas à comprendre rétrospectivement comme une déconstruction intégrale de la métaphysique. En un sens, le Discours poursuit cette «destruction» dans les limites d'*Etre et temps*, c'est-à-dire comme refondation de la *theoria* dans une *praxis* circonspecte, une resituation des sciences dans leurs préconditions existentiales-ontologiques ; on trouve là une application directe du «programme» du § 69 b d'*Etre et temps*, qui explique la genèse du regard théorique comme fixation de présence, sur fond de préoccupation circonspecte. De même l'objurgation de novembre 33 aux étudiants : «Que propositions abstraites et «idées» ne soient pas les règles de votre être !»[43] se comprend parfaitement comme la formulation vulgarisée de l'«anti-théorétisme» d'*Etre et temps* et de la priorité ontologique de la «maniabilité».

Cependant, si l'on ne retenait que la continuité d'inspiration (surtout avec les paragraphes sur l'historicité, à partir du § 72), on ne comprendrait pas comment Heidegger passe d'un «apolitique» à une politique originaire, existentiale-ontologique, et l'on ne saisirait pas la différence entre les deux. On pourrait évidemment

43. Voir Guido Schneeberger, *Nachlese zu Heidegger*, *op. cit.*, p. 135.

faire valoir, en poussant la critique, que l'apolitisme (ou même l'a-politique) sont des éléments favorables au fascisme, dans la mesure où celui-ci entend balayer la discussion argumentée sur un programme, au profit de la confiance aveugle en un chef et son organisation ; une concession sur ce point ne conduit cependant pas à *assimiler* deux types de discours différents ou même à appliquer à un discours philosophique complexe (c'est le cas de la réinterprétation heideggerienne de la temporalité et de l'historicité à la fin d'*Etre et temps*) la grille réductrice d'une lecture exclusivement politique (et exclusivement réorientée à partir des événements de 1933). Connaissant l'entière séquence des événements, il n'est que trop tentant d'appliquer le schème du mouvement rétrograde du vrai, dont Bergson a montré à quel point il peut effacer après coup l'opacité et le bougé créateur de l'histoire se faisant.

Qu'est-ce qui est nouveau (relativement à l'œuvre heideggerienne antérieure) dans le *Discours de Rectorat* ? Du point de vue lexical, la référence constante à la volonté et au vouloir ; le vocabulaire est celui d'une *mobilisation*. La fin d'*Etre et temps* ne propose que la théorie d'une décision existentiale-historiale et l'épure d'une authenticité encore sans contenu, sans détermination. Dans le *Discours de Rectorat*, l'*Entschlossenheit* est acquise, la décision est prise ; elle devient fondatrice et exemplaire.

Autre nouveauté : cette mobilisation (qui pourrait n'être qu'un rappel abstrait et vide) a un répondant politique et populaire effectif, puisqu'il s'inscrit dans la série des événements qui produisent «le bouleversement entier de notre existence allemande» (*die völlige Umwälzung unseres deutschen Daseins*), selon la propre expression de Heidegger[44]. Le porteur et le destinataire de cette révolution est évidemment le peuple guidé par le *Führer*, guidé lui-même par le destin. Le penseur ne fait lui-même que répondre à ce destin, afin que se déploie l'«auto-affirmation» de l'université et du peuple, et cette intense volonté rassemblée est volonté de puissance : «Science et destin allemand doivent, dans cette volonté de l'essence, parvenir *en même temps* à la puissance»[45].

44. *Id., ibid.*

45. Heidegger, *Die Selbstbehauptung...*, *op. cit.*, p. 7.

En quoi y a-t-il imbroglio en cette plongée dans la «politique originaire» ? N'est-ce pas, au contraire, un ralliement sans conditions à la politique et à la pratique nazies ? C'est évidemment dans ce sens que se prononce Farias («Ces éléments parlent d'eux-mêmes» écrit-il)[46], contredisant sans le nommer Gérard Granel qui discerne dans le Discours un effort pour faire «pièce au nazisme», c'est-à-dire pour capter dans un sens différent (et non sans compromis ou «mirement» quant à sa réalité brutale) le flot populaire et «révolutionnaire»[47].

Pour s'orienter, une page devrait arrêter le regard : c'est le passage où Heidegger, après avoir cité la parole de Nietzsche : «Dieu est mort», consacre un paragraphe au *questionnement*. Ce développement n'a rien d'un hommage conventionnel au lieu commun socratique et platonicien : pour philosopher, il faut s'étonner. L'étonnement est compris comme «endurance admirative à l'égard de l'étant», mais cette disposition ne peut devenir «la plus haute figure du savoir» que s'il prend la mesure du destin moderne, «la déréliction (*Verlassenheit*) de l'homme d'aujourd'hui au milieu de l'étant». Notre destin est d'être exposé «à ce qui est réservé et à ce qui est incertain». L'incertitude est même le signe du danger devenu mondial[48]. De la possibilité d'interroger fondamentalement l'étant résulte la possibilité de faire cesser l'éclatement des sciences en disciplines séparées.

Ainsi Heidegger propose-t-il sa version, philosophique et ontologique, de la «révolution» en cours : une conception qui ne se veut ni autoritaire ni terroriste, mais qui en appelle à la responsabilité personnelle, à la capacité d'interrogation constante et fondamentale. Le respect de la résistance est même souligné : «Quiconque guide doit reconnaître à ceux qui le suivent leur force propre. Mais tout suivre porte en soi la résistance (*Widerstand*)»[49]. C'est donc bien un appel à l'*auto*-affirmation de soi et du peuple, de soi dans le peuple. D'autre part, il faut accorder à Heidegger[50]

46. Victor Farias, *Heidegger et le nazisme*, *op. cit.*, p. 117.
47. Gérard Granel, *De l'Université*, Mauvezin, TER, 1982, p. 106 et *passim.*
48. Voir Heidegger, *Die Selbstbehauptung*..., *op. cit.*, p. 14.
49. *Id.*, *ibid.*, p. 21.
50. *Id.*, «Le rectorat 1933-1934», *art. cit.*, p. 79.

qu'il se range clairement contre la conception de la «science politisée», laquelle prétendait placer l'Université, aussi bien que l'activité scientifique en général, sous la surveillance des idéologues patentés. Si l'Université s'affirme elle-même, cette autonomie doit exister de la base au sommet, de l'individu au corps entier de l'Université et même du peuple.

Qui ne discerne cependant, en cette auto-affirmation hautaine, le jeu terriblement ambigu joué par Heidegger et que le nœud ne pourra être dénoué de sitôt ? Revendiquer une position propre (et la philosophie d'une telle position) dans un Etat qui fait de l'obéissance aveugle au Guide un principe inconditionnel, c'est déjà une contradiction — ou une utopie bien naïve ; *a fortiori* quand cette position propre se veut fondamentalement questionnante et dans tous les domaines du savoir, ce qui implique le rejet de toute censure, de tout alignement idéologique, de toute propagande dans le travail universitaire et scientifique. Voilà donc ce «national-socialisme privé» critiqué par le ministre Wacker ![51] Cette formule n'est pas sans vérité, puisque la pratique du Recteur comme la pensée du philosophe (en 33-34 et dans les années postérieures) ont été marquées par «l'auto-affirmation» au sein d'un «mouvement» qui n'appréciait guère qu'on fit ainsi la forte tête. On rétorquera que Heidegger aurait dû pousser son «auto-affirmation» plus loin. Ce n'est pas douteux. Mais il n'est pas douteux non plus (P. Aubenque rappelle à cet égard les témoignages d'Ochsner et de Biemel) qu'après 34 «la fréquentation des cours de Heidegger était déjà presque un acte de résistance, en tout cas de non-conformisme»[52].

L'imbroglio se manifeste donc de l'action immédiate à la proclamation d'un idéal hölderlinien sur lequel Heidegger projette ses évidences politiques personnelles, lesquelles — comme l'a récemment relevé Otto Pöggeler[53] — procèdent d'une incroyable méconnaissance (ou d'un périlleux mépris) de la réalité effective, prosaïque, quotidienne et publique.

51. Voir Martin Heidegger, «Le rectorat 1933-1934», *art. cit.*, p, 81.

52. Pierre Aubenque, *art. cit.*, p. 117.

53. Otto Pöggeler, «Heideggers politisches Selbstverständnis», *Heidegger und die praktische Philosophie*, *op. cit.*, pp. 17-63.

Mais cette méconnaissance n'est pas seulement le signe d'un trait de caractère de l'homme Heidegger. Elle résulte d'une philosophie qui prend ses distances à l'égard de l'espace public et, plus radicalement encore, envers le privilège reconnu à la présence du présent. Comment répondre encore de ce qui advient, si la futurition décide de toute la temporalité ? Mais aussi : comment faire la théorie d'une non-théorie, d'un retour radical à la tournure qu'ont les choses et à l'allure des autres Existants au sein d'une «pratique circonspecte» ? Comment *se* vouloir directement *à l'écoute* d'un destin et cependant pris dans une mobilisation exacerbée de la subjectivité individuelle et «populaire» ? Questions qui portent en pleine lumière les tensions immanentes à l'horizon philosophique d'*Etre et temps*, qui demeure — pour l'essentiel — celui au *Discours de Rectorat*. Ni le projet théorique, ni la subjectivité, ni la volonté n'y sont vraiment «détruits». Ils se voient, au contraire, intensifiés et confirmés dans ce décisionnisme pratique qui entend dévoiler la vérité comme un rapt (*ein Raub*)[54], mais se détourne des procédures d'identification, de contrôle ou de fondation axiologique. Heidegger ne se prend-il pas lui-même au piège d'un brutal renversement du platonisme (mais aussi de la métaphysique moderne de la volonté) ? «Le renversement d'une proposition métaphysique demeure une proposition métaphysique» dira-t-il lui-même plus tard[55]. Il restera à déterminer, au-delà du présent travail, si le «tournant» réussit à lever ces grandes difficultés, en particulier sous l'angle des incidences politiques (ou apolitiques) du «dépassement» de la métaphysique.

L'imbroglio philosophique des années 33-34 n'est pas dû essentiellement à une rupture ni à une régression : c'est bien plutôt le déploiement et l'aveu d'une tension déjà présente, mais latente, dans *Etre et temps*. C'est l'impensé de la «destruction», son caractère partial et violent (moins dans sa formulation du § 6 que dans sa méthodologie effective) que le *Discours de Rectorat* manifeste, puisqu'il exhibe (sous le couvert de l'originaire et du fondamental) — en lieu et place d'un changement d'horizon — *un plato-*

54. Heidegger, *Sein und Zeit*, *op. cit.*, p. 222.

55. *Id.*, *Lettre sur l'humanisme*, trad. R. Munier, Paris, Aubier, 1957, p. 67.

nisme exacerbé (dans son retournement même de la théorie vers la *praxis* et dans sa volonté de refonder l'organicité de la Cité). Pour Platon déjà, la politique effective, positive et prudente, fut introuvable : elle ne fut qu'un démenti à l'idéal.

*

A titre de jalon plus que de conclusion, il ne saurait être question de nier que l'ontologie fondamentale soit *impliquée* dans un imbroglio politique : celui-ci se noue en grande partie au niveau philosophique. L'engagement de 1933 est bien une erreur, mais il ne se réduit pas à cela ; il est aussi un symptôme ; on ne peut en comprendre la genèse que par rapport à la pensée qui littéralement s'y *expose*.

L'admission de ce premier point ne conduit nullement à rejoindre les positions de ceux qui, s'ils ne vont pas toujours jusqu'à réduire la pensée de Heidegger au nazisme, font de ce dernier l'étalon de celle-là : les deux «phénomènes» ne sont pas vraiment commensurables, même s'ils se croisent et s'imbriquent partiellement (à cet égard, Habermas a sans doute raison de soutenir que c'est à partir de 1929 qu'un processus complexe d'«idéologisation» rapproche progressivement Heidegger du nazisme)[56]. Mais une idéologie pauvre, barbare et criminelle ne peut pas permettre de comprendre une pensée inspirée et fécondante en ses ambiguïtés elles-mêmes. Vouloir réduire la seconde à la première, c'est nous priver d'une ressource essentielle, c'est oublier que la pensée de Heidegger, jusqu'en ses pointes les plus critiquables, en appelle à notre intelligence — et non à nos instincts de domination ou de haine.

Les nazis ont été indifférents au fait qu'ils avaient chez eux un grand penseur dont la méditation les auraient obligés, s'ils y avaient pris garde, à devenir différents de ces barbares criminels qu'ils furent de plus en plus. Mais l'incroyable méprise de Heidegger est précisément d'avoir cru, plus ou moins longtemps,

56. Voir Jürgen Habermas, *Martin Heidegger. L'œuvre et l'engagement*, trad. R. Rochlitz, Paris, Les éditions du Cerf, 1988, p. 27 sq.

qu'une telle «conversion» était possible, surestimation des pouvoirs de la pensée et du rôle du penseur qui, à force de prendre rendez-vous avec les siècles futurs, se fourvoie totalement quant au présent. C'est peut-être pourquoi, dans l'œuvre ultérieure, Heidegger renverse cette surestimation en une modestie, une fragilité excessives, elles aussi : la pensée initiale, repliée sur elle-même, risque de devenir marginale, sinon clandestine ; elle croit n'avoir rien à apprendre d'une métaphysique devenue cybernétique et dont le destin dominateur serait scellé. Il faut, sur ce point, la contredire, la prendre à contre-pied : l'être ne se voile pas si radicalement dans son devenir-monde métaphysico-technique ; celui-ci est plus complexe, celui-là moins dicible encore que Heidegger ne l'a cru.

L'ontologie et la politique ont chacune leurs exigences spécifiques. Heidegger n'en a pas été assez conscient ; mais beaucoup de ses censeurs actuels l'oublient également. Il voulait construire une politique à partir de l'ontologie ; ils prétendent juger l'ontologie à partir de la politique. Il ne peut y avoir de «politique originaire» qu'utopique, sans lieu, exposée à toutes les errances. Le concept même de «politique ontologique» (qui n'a, d'ailleurs, pas été formulé comme tel par Heidegger) est intenable, car la politique est *principalement* ontique. Heidegger ne s'est pas «trompé» en raison d'une théorie ontologico-politique positive, mais surtout du fait de l'absence d'une approche suffisamment spécifiée de la politique. Son radicalisme ontologique s'est trop immédiatement projeté sur une pratique qui n'a fait qu'exacerber les apories de sa pensée. Trait bizarre : il a beaucoup retenu d'Aristote[57], sauf sur ce terrain-là. Toutefois, il saura à l'occasion (en 1942) renvoyer à Aristote ceux qui veulent décider de l'essence de la *Polis* à partir du «politique» : ce dernier — remarque-t-il — se comprend à partir de l'essence de l'homme, non l'inverse[58]. Mise au point justifiée, mais elliptique et qui demeure en-deçà du seuil des spécifications de la dimension proprement politique.

57. Voir, sur ce point, Jacques Taminiaux, «La réappropriation de l'*Ethique à Nicomaque*», *Lectures de l'ontologie fondamentale*, Grenoble, Millon, 1989, pp. 147-190.

58. Martin Heidegger, *Gesamtausgabe*, 53, p. 102.

L'histoire de l'être décide-t-elle de toute politique essentielle ? Et que reste-t-il de la politique hors de ce grand jeu ontologique ? Nous avons vu que les leçons de *La Politique* d'Aristote sont loin d'être invalidées par l'envoi technique de l'être ; la rationalité n'est donc pas subordonnée complètement à l'historialité. Il faut respecter ses exigences, fût-ce à ce niveau minimal.

Chapitre 4

La lettre volée

— Et maintenant, quel est le cas embarrassant ? demandai-je ; j'espère bien que ce n'est pas encore dans le genre assassinat.

— Oh ! non. Rien de pareil. Le fait est que l'affaire est vraiment très simple, et je ne doute pas que nous ne puissions nous en tirer fort bien nous-mêmes ; mais j'ai pensé que Dupin ne serait pas fâché d'apprendre les détails de cette affaire, parce qu'elle est excessivement *bizarre.*

— Simple et bizarre, dit Dupin.

— Mais oui ; et cette expression n'est pourtant pas exacte; l'un ou l'autre, si vous aimez mieux. Le fait est que nous avons été tous là-bas fortement embarrassés par cette affaire ; car toute simple qu'elle est, elle nous déroute complètement.

— Peut-être est-ce la simplicité même de la chose qui vous induit en erreur, dit mon ami.

Edgar Poe, *La lettre volée.*

Aussi bien quand nous nous ouvrons à entendre la façon dont Martin Heidegger nous découvre dans le mot αληθης le jeu de la vérité, ne faisons-nous que retrouver un secret où celle-ci a toujours initié ses amants, et d'où ils tiennent que c'est à ce qu'elle cache, qu'elle s'offre à eux *le plus vraiment.*

Jacques Lacan, Le séminaire sur *La lettre volée.*

Simple et bizarre, est-ce aussi la situation herméneutique léguée par Heidegger à propos des liens entre sa pensée et le national-socialisme ? Une petite phrase fut publiée à la fin d'*Introduction à la métaphysique* en 1953 ; la traduction par Gilbert Kahn parut en France dès 1958[1]. En ces quelques mots, tout était déjà dit, scandaleusement exposé au public et pourtant (après les protestations initiales)[2] supporté et comme «normalisé» par la communauté philosophique. Inutile d'aller compiler d'innombrables documents d'archives et de se livrer à cette frénésie anecdotique qui a saisi beaucoup de gens à la suite de Farias, comparable au préfet qui, dans le conte de Poe, inspecte pendant des semaines au microscope, et pouce par pouce, les meubles, les cloisons, les tentures de l'hôtel particulier du ministre D... En vain ? Farias fut moins inefficace que le préfet, dira-t-on, puisqu'il a éveillé nos soupçons et nous a obligés à «revisiter» nos évidences. Sans doute : mais si rien n'est vraiment compris au terme de l'enquête, à quoi a-t-on abouti sinon à un déplacement de la question ? Neuf ans de nazisme au lieu de neuf mois ? Mais quel «nazisme» et pourquoi ? Dans le cas de Heidegger, il ne suffit pas de mettre la main sur des documents pour mesurer ce qui est en jeu. Dans *La lettre volée*, c'était l'inverse : il fallait avoir compris le calcul d'un esprit supérieur pour retrouver le document. L'analogie cependant, nous en découvrirons peu à peu la pertinence, la profondeur ou les limites. Il apparaît déjà que, dans les deux cas, la recherche de la vérité implique une relation paradoxale entre la manifestation et sa reconnaissance («un mystère... un peu *trop* évident» dit Dupin) et que l'enquête policière (ou quasi policière des historiographes) est corsée — sinon conditionnée — par une dimension tout autre, intellectuelle ou spéculative (le ministre D... est un esprit brillant, à la fois mathématicien et poète ; le penseur, à cet égard, n'est pas à présenter). Le corps du «délit» : ce qui va jouer pour nous le rôle de la lettre, ce sont ces quelques mots imprimés à la fin d'*Introduction à la métaphysique* depuis 1953 et qui, en ce sens ne semblent pas

1. Martin Heidegger, *Einführung in die Metaphysik*, Tübingen, Niemeyer, 1953 ; *Introduction à la métaphysique*, trad. Gilbert Kahn, Paris, P.U.F., 1958.

2. Principalement celles de Helmut Kuhn et Jürgen Habermas, auxquelles répondit Christian Lewalter dans *Die Zeit* : voir Jean-Michel Palmier, *Les Ecrits politiques de Heidegger*, Paris, l'Herne, 1968, pp. 279-282.

nous avoir été dérobés, mais au contraire offerts (nous verrons si tel est vraiment le cas) :

«[...] ce qui est mis en circulation aujourd'hui comme philosophie du national-socialisme, mais n'a pas la moindre chose à voir avec la vérité interne et la grandeur de ce mouvement (à savoir la rencontre entre la technique déterminée planétairement et l'homme moderne), cela pêche dans les eaux troubles des "valeurs" et des "totalités"[3].»

Première lecture

Le plus simple paraît d'abord de ne chercher à ces lignes aucune justification plus profonde ni subtile qu'une franche profession de foi en faveur du nazisme. Heidegger est encore nazi en 1935 et il le dit *ex cathedra* ; «vérité interne et grandeur» sont des termes quasi équivalents à «idéaux» : profession de foi qui concerne donc le fond et qui semble plus grave qu'une approbation de circonstance ; les «philosophies» officielles du nazisme ne sont pas à la hauteur du mouvement : celui-ci mérite d'être reconnu et pensé par, et au sein de, la Philosophie (d'où l'inclusion de ces lignes dans l'*Introduction à la métaphysique*). Le «mouvement» est, d'ailleurs, un terme utilisé par les nazis eux-mêmes pour désigner le NSDAP — et qu'on trouve sous la plume de Hitler dès *Mein Kampf*.

Dans cette hypothèse, il faut au moins reconnaître à Heidegger un mérite : il ne cache pas son jeu. Et d'autant moins qu'il maintient cette phrase en 1953, huit ans après l'effondrement du nazisme et la révélation de ses traits les plus hideux. Franchise ou provocation ? Ou inconscience ?

Cependant, si frontale que soit cette lecture, elle ne doit pas ignorer le contexte : cette phrase n'est qu'une incidente, même dans son contexte immédiat. Non seulement cette allusion politique n'apporte rien au propos même d'un des cours les plus denses et originaux de Heidegger (sur les quatre limitations de

3. La traduction Kahn de ce passage nous paraît acceptable ; nous l'avons cependant légèrement modifiée pour serrer le texte de plus près (voir *Einführung, op. cit.*, p.152 ; *trad. cit.*, p.213).

l'être, par le devenir, l'apparence, le penser, le devoir), mais elle n'ajoute même rien d'indispensable à la polémique qu'il vient de lancer contre l'abus du concept de «valeur» dans la philosophie contemporaine. Bizarre, cette phrase l'est donc déjà à ce premier niveau de lecture, parce qu'elle est philosophiquement superflue et même incongrue. Tout professeur se permet parfois des *excursus* qui détendent l'atmosphère ou des allusions pittoresques à l'actualité ; mais ici rien d'innocent ; et pourtant le caractère anecdotique des remarques qui précèdent a un côté presque futile et qui a dû faire sourire l'auditoire : «En 1928, il a paru une bibliographie générale du concept de valeur, première partie. On y cite 661 publications sur le concept de valeur. Il est probable qu'on a maintenant atteint le millier»[4]. Ironie assez lourde, typiquement universitaire. Rien ne laisse prévoir, dans le développement même (ni syntaxiquement ni logiquement), à partir de cette fantaisie de potache, qu'on va glisser dans l'attaque violente contre les sous-produits idéologico-philosophiques du régime, mais aussi atteindre la solennité d'une quasi «profession de foi». Le Maître cherchait-il une occasion ? N'importe laquelle ? L'arbitraire n'est peut-être qu'apparent. A simplement considérer la dérive rhétorique, l'attitude de Heidegger semble — à cet instant — la suivante : quitte à traiter de l'actualité, parlons-en sérieusement. Et voici la phrase fatale introduite par un *vollends* (au surplus, d'ailleurs). Comme on glisse quelque chose d'important, d'un ton détaché, au détour d'une conversation banale (parce qu'on ne savait comment «amener» la chose ?).

Or, la «chose» (l'essentiel à dire) ne présente pas qu'un seul visage : jusqu'ici dans sa hâte, notre lecture élémentaire n'a retenu que la «profession de foi» ; celle-ci est, en fait, l'arrière-plan (ou la «couverture» : n'oublions pas que tout est surveillé et noté dans un régime où le moindre acte d'opposition caractérisée conduit à la prison ou au camp) d'une attaque très vive contre la pseudo-philosophie du national-socialisme. Il paraît aujourd'hui aller de soi qu'un «grand philosophe» critique vertement des Rosenberg ou des Krieck ; mais ceux-ci tenaient alors le haut du pavé ; plus

4. Heidegger, *Einführung*, *op.cit.*, *ibid.* ; *trad. cit.*, *ibid.*

nettement encore : dans un Etat quadrillé par la propagande de Goebbels, ils définissaient la clé de voûte idéologique d'une «vision du monde», prétendant imposer de nouvelles «valeurs», érigeant *un certain Nietzsche* en maître à penser. Activiste, impérialiste et énergiquement raciste, cette idéologie ne se donnait pas comme une interprétation *parmi d'autres* de la pensée de Nietzsche. Elle était diffusée (*herumgeboten*), ce qui veut dire pratiquement imposée, comme la philosophie orthodoxe du nouveau régime. Il n'était donc pas évident qu'on pût s'y opposer facilement ni impunément. Il ne nous appartient pas ici de déterminer si (et dans quelle mesure) la critique de Heidegger était courageuse. Il est encore difficile, au niveau de lecture où nous nous trouvons, de décider si la «profession de foi» n'est, de sa part, que la «couverture» de l'attaque. Mais il apparaît indiscutablement que l'inverse n'est pas concevable : l'attaque contre les idéologues du parti ne peut être, en 1935, le prétexte d'une «profession de foi». Quel que soit alors le degré d'adhésion intime de Heidegger au régime, ce dernier est solidement installé ; Hitler concentre tous les pouvoirs ; le *Führerprinzip* a été mis en place à tous les niveaux ; Röhm et les S.A. ont été éliminés : le chômage commence à se résorber : le plébiscite en Sarre a été un plein succès ; le service militaire est rétabli ; le *Reichswehr* se renforce : le nazisme est encore au début de sa phase ascendance. Ce régime n'a nul besoin d'une sorte de reconnaissante supplémentaire d'un Heidegger qui, au demeurant, a «déjà donné» : son élection au Rectorat, son adhésion de 33 sont encore toutes proches. Heidegger, de son côté, a démissionné l'année précédente du Rectorat, mais — nous le savons maintenant — est toujours membre du Parti. Il n'a nullement à réaffirmer une allégeance qui, dans un tel régime, va de soi et dont rien ne prouve qu'elle lui ait été à nouveau réclamée. L'hypothèse de la priorité de la «profession de foi» n'a pas de vraisemblance historique.

Elle n'a pas, non plus, de vraisemblance contextuelle. Relisons la phrase ; y trouvons-nous à proprement parler une allégeance personnalisée, un appel à la mobilisation — comparables au *Discours de Rectorat* ou aux déclarations engagées de 33 ? Ce qui frappe plutôt, c'est le ton impersonnel, presque dégagé, l'utilisation du privilège académique pour juger de ce qui est grand et de ce qui ne l'est pas devant l'Histoire.

Il ne fait donc pas de doute que notre première lecture, si elle se veut honnête et complète (encore n'a-t-elle pas pris en compte la parenthèse), doit considérer en priorité l'allure et le contenu polémiques de la déclaration. Or cette polémique n'est intelligible qu'en faisant effort pour se replacer dans les conditions de 1935. Cet effort n'implique nullement qu'on «approuve» la déclaration de Heidegger ni qu'on justifie le fait qu'il l'ait maintenue en 53. Il oblige seulement, mais cela n'est pas négligeable, à ce qu'on renonce à la tentation de s'en tenir au simplisme niveleur de la toute première lecture pressée : les raisons vont s'en développer.

Mais, s'il faut tenir les deux bouts de la chaîne et ne laisser tomber aucun des deux côtés de la déclaration (Farias lui-même reconnaît la situation d'«opposant interne» que Heidegger assume dès 1934), il est également intéressant de noter un renversement entre les circonstances de 35 et celles de 53 : autant l'impératif polémique paraît déterminant dans la situation de 35 (sans constituer, répétons-le, une justification suffisante, car il était possible de se taire sur ce point), autant il devient anachronique dans celle de l'après-guerre. C'est alors sur le *maintien* d'une reconnaissance de la «vérité interne et de la grandeur de ce mouvement» que porte l'accent. De fait, c'est ce qui fit en 53 et fait encore maintenant question ou scandale : et l'on ne voit plus que cette face de la déclaration. A vingt ans de distance, Heidegger fait la «forte tête»: en 35, contre le tout-venant idéologique du nazisme ; en 53, contre l'opinion désormais universellement admise d'une perversité intrinsèque et totale du «mouvement». Sollicitons-nous maintenant le contexte de 53 ? Nous ne le croyons pas : Heidegger ne pouvait ignorer les perplexités qu'il soulèverait par le maintien de cette phrase ; Hartmut Buchner l'avait prévenu[5] : nous le savons maintenant ; il s'est abrité derrière la conformité historique (dont le corrélat subjectif est la franchise, la fidélité à soi-même) ; mais il ne pouvait éviter (et il semble avoir sciemment choisi) d'assu-

5. Hartmut Buchner, «Fragmentarisches» in *Erinnerungen an Martin Heidegger*, Pfullingen, Neske, 1977, p. 49.

mer les connotations polémiques de ce maintien. Pourquoi ? Il eût été si simple de couper la phrase (comme ce fut fait pour une allusion à Hitler et Mussolini dans le cours sur Schelling, laquelle est passée effectivement presque inaperçue jusqu'ici)[6]. Des raisons subjectives ou passionnelles expliquent-elles le choix de 1953 ? Ce serait mal connaître Heidegger que de se contenter de cette hypothèse banale. Il y a une pensée fondamentale au fond de cela. Mais il faut la dénicher. D'où la nécessité d'aborder un second niveau de lecture.

Deuxième lecture

Avant même de faire effort pour restituer l'intelligence proprement heideggerienne de l'expression «vérité interne et grandeur», tout en prêtant également attention au sens de la parenthèse, il faut à nouveau faire état de l'élément quasi policier qui grève cette question de la parenthèse. Heidegger affirme en 1966 dans l'entretien avec les représentants du *Spiegel* que cette précision était déjà dans son manuscrit et — dit-il — «correspondait exactement à la conception que j'avais à cette époque (*damaligen Auffassung*) de la technique [...]»[7]; il avait déjà, en 1953, écrit au journal *die Zeit* dans le même sens[8]. Cette justification est sujette à caution : Buchner n'avait point vu cette parenthèse dans le manuscrit[9] et Petra Jaeger a constaté aux archives Heidegger à Marbach que la page litigieuse manque dans le manuscrit original, ce qui ne peut que renforcer les «soupçons»[10]. Ce qui est certain, c'est que cette parenthèse explicative n'a pas été *prononcée* en 35[11] et que —

6. Nous devons ce détail au témoignage de Carl Ulmer, *Der Spiegel*, n° 19, 2 mai 1977, p. 10.

7. Heidegger, *Réponses et questions sur l'histoire et la politique*, trad. J. Launay, Paris, Mercure de France, 1977, p. 41 (*Spiegel*, 31 mai 1976, p. 204).

8. *Die Zeit*, 24 septembre 1953 (d'après Thomas Sheehan, «Heidegger and the Nazis», *The New York Review of Books*, 16 juin 1988, p. 42).

9. Voir le témoignage déjà cité *supra*, n. 5.

10. Petra Jaeger, «Nachwork der Herausgeberin», in Heidegger, *Gesamtausgabe*, 40, p. 234.

11. Voir la référence au témoignage de Walter Bröcker *in* Otto Pöggeler, «Heideggers politisches Selbstvertandnis», *Heidegger und die praktische Philosophie*, *op. cit.*, p. 59, n. 11. Heidegger n'aurait dit ni «N.S.» (comme le

même s'il y «pensait» déjà alors — Heidegger n'avait nullement explicité sa pensée de la technique à l'intention de son auditoire étudiant. Ce qui contredit donc aussi, cette fois-ci de l'intérieur, son autojustification rétrospective, c'est que l'intelligibilité de la parenthèse n'est vraiment possible qu'à partir d'écrits publiés dans les années 50 (en tout premier lieu «La question de la technique»). C'est prêter aux jeunes auditeurs de 1935 une clairvoyance divinatoire hors du commun que de prétendre que «ceux qui savaient entendre» comprenaient déjà la «profession de foi» en fonction d'une parenthèse non prononcée. En revanche, eu égard au contenu, le décalage entre la parenthèse et ce qui précède immédiatement est évident : alors que «vérité interne et grandeur» sont des mots qui appartiennent à l'humus textuel de l'*Introduction à la métaphysique* (et qui sont, à la rigueur, intelligibles en se référant uniquement à ce cours, tout en rattachant — hélas — aussi au *pathos* de 1933-34), le concept de «technique déterminée planétairement» n'est nullement explicitable dans les mêmes conditions herméneutiques. Cette parenthèse est donc un corps étranger au texte et il ne fait pas de doute qu'elle a été conçue et ajoutée en 53. Mais il est intéressant de relever l'effet de «collage» qu'elle introduit d'une façon très gestaltiste : étant donné l'ellipse même de l'expression «vérité interne et grandeur», il est désormais impossible d'ignorer cette parenthèse ; c'est vers elle que se déplace l'énigme. En termes à nouveau «policiers», Heidegger ne s'est-il pas révélé infiniment plus habile qu'il ne l'eût été en coupant expéditivement l'expression «vérité interne et grandeur» ? Désormais, grâce à ce tour (trop habile ?) qui semble faire partie de la stratégie de «stylisation» de son passé (selon l'expression de Habermas), l'attention et l'effort interprétatif du lecteur sont déportés du contentieux du nazisme vers la situation planétaire et son avenir. Le «mouvement» devient un cas particulier dans une conjoncture historico-mondiale ou, mieux, une conjonction époquale, dont seule la pensée heideggerienne est censée mesurer la portée. La

comportait le manuscrit, selon Buchner), ni «ce mouvement» (comme l'indique la version imprimée), mais «le mouvement» (*der Bewegung*)(au génitif).

parenthèse ne réussit-elle pas à occulter une vérité trop évidente, sans la cacher, mais en montrant autre chose ?

Ce qui est montré, désigné, par cette phrase (et sa parenthèse) est maintenant explicitable dans les termes mêmes et selon les intentions de Heidegger. La «vérité» n'est pas dite interne au sens d'une adéquation autoréférée, c'est-à-dire d'une simple cohérence. Il ne s'agit pas non plus d'une vérité qui serait adéquate à des «idéaux» transcendants ou à des «valeurs» autonomes : l'héritage platonicien a été mis en cause jusque dans son renversement nietzschéen. A partir du §44 d'*Etre et Temps*, à partir de la conférence *De l'essence de la vérité* (dont la première version date de 1930), à partir aussi du texte même de l'*Introduction à la métaphysique*[12], nous savons que *Wahrheit* est à entendre primordialement comme *Unverborgenheit* : la déclosion, le désabritement de l'étant. La tragédie de Sophocle, *Œdipe-Roi,* est caractérisée comme la «passion de la déclosion» de l'être et, dans le sillage de Hölderlin et de Karl Reinhardt à la fois, saluée comme une «tragédie de l'apparence»[13]. Mais le contexte de la phrase litigieuse n'est ni celui d'un approfondissement méditatif du concept de vérité ni celui de l'explicitation d'une geste tragique : il concerne, qu'on le déplore ou non, un mouvement politique désormais identifié au destin du peuple allemand. En quel sens Heidegger peut-il alors envisager une «vérité interne» collective ? En tant que ce qui est le plus propre (au sens hölderlinien) est en jeu. Le plus propre est la capacité d'*Eigentlichkeit*, c'est-à-dire d'authenticité au sein d'une appropriation du possible. «Deviens ce que tu es !» : cette phrase de Nietzsche indique l'orientation de la «déclosion décisive» (*Entschlossenheit*) par laquelle une personne ou un peuple assume sa situation historiale, répond à l'appel (*Ruf*) de sa liberté devant la mort. Dans cette appropriation décisive, la constitution fondamentale de l'historicité ne laisse pas l'Existant absolument isolé, mais le reconduit à sa tâche historiale : «Quand l'Existant destinal, en tant qu'être-dans-le-monde, existe essentiellement en partageant son être-avec-autrui, son advenue est partagée et déter-

12. Heidegger, *Einführung in die Metaphysik*, *op.cit.*, p.77 sq. ; *trad. cit*, p.113 sq.
13. *Id.*, *Ibid.*, p.81 sq. ; *trad. cit.*, p.118 sq.

minée comme envoi destinal (*Geschick*). Ainsi désignons-nous le devenir d'une communauté, d'un peuple[14]».

Il ne fait donc pas de doute que ce qui est reconnu, encore en 1935, dans le «mouvement» est une réserve de possibilités quant à l'appropriation de l'existence allemande. Une remarque cursive (jusqu'ici inaperçue par les interprètes) est faite par Heidegger à la fin de la première partie de l'*Introduction à la métaphysique* à propos de la langue : «Ce qu'on a organisé pour rendre la langue plus pure, et pour la défendre contre les défigurations croissantes qu'elle subit, mérite considération (*Beachtung*). Mais, finalement, de telles mesures ne font que rendre plus clair qu'on ne sait plus de quoi il s'agit dans la langue»[15]. L'allusion est transparente : Heidegger approuve et critique à la fois les mesures prises par les nazis pour éliminer les mots d'origine étrangère ; il les approuve en tant qu'elles vont dans le sens d'une appropriation du plus propre ; il les désapprouve en tant qu'elles sont de simples «mises en conformité» par lesquelles la langue elle-même n'est pas écoutée.

Nous ne nous éloignons pas, ce faisant, de la «vérité interne». Refusant le langage de l'idéal, des valeurs ou même celui des «intentions», Heidegger ne retient que celui de la vérité, en tant que «déclosion» des possibles les plus propres et déploiement d'une historicité destinale. Voilà un bien grand honneur fait à ce «mouvement» qui prétend conjoindre et associer (comme le fascisme italien) toutes les catégories ou classes du peuple dans un même élan national. Et d'autant plus qu'il est aussi question de «grandeur». Du point de vue purement syntaxique, il faut prendre garde au fait que le *und* (et) est ici, comme très souvent chez Heidegger (et dans le titre même d'*Etre et Temps*) explétif : la «vérité interne» *est* grandeur, elle se déploie comme telle, c'est-à-dire manifeste ce «combat contre l'apparence» qu'est la vérité au sens de désabritement. Mais pourquoi «grandeur» ? Ce mot éminemment nietzschéen est à comprendre ici au sens où il conclut le *Discours de Rectorat* avec la citation de Platon (*République*, 497 d): «Tout ce qui est grand se

14. *Sein und Zeit, op.cit.*, p.384.

15. *Id, Einführung in die Metaphysik, op.cit.*, p.39 ; *trad. cit.*, p.61, légèrement modifiée.

dresse dans la tempête». Quelques lignes plus haut, Heidegger parlait de «la noblesse et de la grandeur de ce sursaut (*Aufbruch*)» et il venait d'affirmer : «[...] nous voulons que notre peuple remplisse sa mission historique. Nous nous voulons nous-mêmes»[16]. Il s'agit bien d'une appropriation décidée (le mot *Entscheidung* est prononcé à la même page) des possibilités du peuple, à la faveur d'une percée ou d'une révolution historique (et sans doute historiale, dans l'esprit de Heidegger).

Que cette interprétation nous plaise ou non, qu'elle soit à verser à l'actif ou au passif de l'homme Heidegger, ce n'est pas ici notre problème. Il importe essentiellement de comprendre et de faire entendre ce que Heidegger a en vue (à cet égard) dès 1935. C'est en termes de *possibles* historiques et destinaux que Heidegger salue ce mouvement. Et c'est ainsi qu'il continuera à le qualifier dans l'intervention du *Spiegel* : «je voyais cette possibilité-là»[17]. Il s'agit évidemment de tout le contraire d'un jugement théorique : c'est un choix et une vue (hélas, trop instantanés - *augenblicklich*) sur un tournant historique, c'est-à-dire sur une occurrence qui est toute finitude dans le temps et qui n'a de grandeur qu'à offrir un avenir. Il s'agit donc bien d'une rencontre (*Begegnung*), au sens où un mythe essentiel recèle fondation (*Stiftung*) et initialité (*Anfang*). La grandeur, selon Heidegger, n'est pas principalement fonction du courage déployé par les humains, mais dépend de la profondeur et de la radicalité de ce qui commence vraiment, c'est-à-dire de la dimension décisive où le sens du temps et le rapport à l'histoire sont remis en jeu. L'opposition de l'*Anfang* et du simple début (*Beginn*) court dans toute l'œuvre jusqu'à devenir lancinante ; cette célébration de l'*Anfang* n'est pas absente de l'*Introduction à la métaphysique* : «Tout ce qui est grand ne peut que commencer grandement. Son commencement est même toujours le plus grand»[18]. Cette affirmation est faite à propos de la découverte de la *Phusis* par les Grecs

16. Heidegger, *Die Selbstbehauptung der deutschen Universität*, édit. et trad. G. Granel, Mauvezin, T.E.R., 1982, p. 22.

17. *Id.*, *Réponses et questions*, *op. cit.*, p. 22.

18. *Id.*, *Einführung in die Metaphysik*, *op. cit.*, p. 12 ; *trad. cit.*, p. 23.

présocratiques. Mais nous ne pouvons pas imaginer que le mot *Größe* vienne par hasard sous la plume de Heidegger à propos de ce qu'il croit être (comme beaucoup d'Allemands victimes de la promesse d'un «Reich millénaire») une nouvelle ère dans l'histoire de l'Allemagne. Ce qui est hautement proclamé ici, c'est qu'il y a une initialité fondatrice dans ce «mouvement».

Certes parler de «grandeur» implique aussi qu'on admette des petitesses (et s'il y a vérité *interne*, c'est aussi qu'il n'y a pas que cela, mais aussi de «l'externe») ; il n'y a donc, dans la phrase qui nous occupe, aucune approbation de tout le programme proposé ni de toutes les mesures déjà prises par le gouvernement de Hitler. Nous avons, au contraire, relevé tout un aspect polémique à l'égard de l'idéologie officielle, et qui n'est pas à sous-estimer. Cependant (ce point n'est pas à la décharge de Heidegger) les régimes fascistes n'ont fait que trop usage de la rhétorique de la grandeur et du monumental. Chevauchement du ton «grand seigneur» du penseur et d'un *pathos* grandiloquent dont la «vérité interne» s'est effondrée dans la dérision et les larmes.

Cependant, qu'il y ait «rencontre» (ou ébauche de quelque chose de semblable) dans de tels événements en tant qu'ils s'essaient à composer un destin, nous pouvons l'admettre au simple rappel de ce que peut être un projet historique, si utopique, blâmable ou fou soit-il. A ce point, comme à l'abord d'un aiguillage important, nous ne pouvons plus négliger la parenthèse, car elle indique entre quels éléments (ou partenaires) il y a rencontre (*Begegnung*) : «l'homme moderne» face à «la technique déterminée planétairement» ; à vrai dire, il n'y a là qu'un partenaire face à ce qui le provoque ou le concerne. Il n'est pas indifférent de rappeler que la technique est conçue (précisément dans les années d'après-guerre où Heidegger met vraisemblablement au point sa parenthèse) comme un «mode de désabritement». La capacité d'assurer la grandeur de ce mode de dévoilement de l'étant, d'assumer ses risques et sa réserve d'ouverture, telle est donc l'éventuelle «vérité interne» de l'homme contemporain, telle fut — semble-t-il — l'aptitude du «mouvement» — du moins telle que l'annonçait son commencement.

Telle est donc, pour l'essentiel, la deuxième lecture ; elle reprend l'interprétation rétrospective de Heidegger lui-même, donnée dans l'entretien au *Spiegel* en 1966 : c'est dans la perspective de la technique planétaire qu'elle replace le phénomène nazi, lequel devient une des formes de «réponse» de l'homme moderne à l'appel de la technique (qui s'annonçait depuis deux siècles, dès la physique mathématisée de Galilée et le projet méthodique de Descartes). Ainsi la phrase incriminée n'a-t-elle plus rien de scandaleux ; elle devient non seulement acceptable, mais presque banale, sinon anodine, même si le langage encore volontariste de 35 résiste quelque peu à cette «harmonisation» rétrospective.

Le *hic*, c'est que cette dernière lecture ne permet plus de comprendre «l'avantage» qui avait été accordé au national-socialisme, mais qui a été refusé au communisme et à l'américanisme (sauf dans l'entretien au *Spiegel* où les trois figures viennent flotter pour ainsi dire à égalité les unes à côté des autres). Cette interprétation assez lâche (habile, mais assez démagogique) a fait d'abord largement autorité ; on l'a acceptée en quelque sorte faute de mieux. Son insuffisance éclate maintenant.

La question se concentre en effet sur cette difficulté : pourquoi reconnaître en 35 une «vérité interne et une grandeur» au national-socialisme, et non à l'américanisme et au bolchévisme ? Heidegger prétend le faire en 66 ; non en 35 ! Si l'on retient «l'explication» qu'apporte la parenthèse de 53 («à savoir la rencontre de l'homme déterminé planétairement et de l'homme moderne»), on bute sur l'écueil suivant : cette parenthèse offre une perspective d'intelligibilité, mais elle n'explique rien qui convienne *spécifiquement* au national-socialisme. On n'est pas plus avancé qu'avant. En effet, si on la prend au mot, cette explication s'applique aussi bien à l'américanisme et au communisme. N'y a-t-il pas — et à quel degré ! — «rencontre» de la technique en Amérique et en Union Soviétique ? Cette rencontre n'a-t-elle pas revêtu une certaine grandeur, n'a-telle pas entraîné tout un héroïsme titanesque ou faustien ? Et ne propose-t-elle pas un type d'homme planétaire, deux variantes de cette figure du «travailleur» dont on sait qu'à partir de 32 — date de la publication du livre d'Ernst Jünger — elle s'est imposée à Heidegger comme le dernier visage, l'ultime configuration de la réalisation de la métaphysique de la volonté de puissance ?

Si on accepte la parenthèse, on ne trouve rien qui s'applique *spécifiquement* au national-socialisme : sa prétendue «vérité interne et grandeur» se rabat sur celle de l'époque tout entière. C'est précisément ce que cherchait Heidegger en 53 : «noyer le poisson» diront «les mauvais esprits» et, par une illusion d'optique réussie et assez géniale (car le personnage était malin), «faire passer» cette phrase énorme. Ne suffit-il pas de changer le contexte, de donner un fond nouveau à la «bonne forme»? Bien entendu : cette explication est valide. Mais elle n'est pas philosophiquement suffisante : elle réduit l'ajout à un simple geste d'opportunité, *qu'il est,* mais auquel il ne se réduit pas, si l'on admet — comme je le propose et comme maints textes le prouvent — que la parenthèse a sa pleine justification herméneutique *en ce qu'elle dit.* Ce qui sous-entend qu'elle a aussi un *non-dit* — qui n'avait guère été aperçu jusqu'ici — sur lequel nous allons revenir.

En ce qu'elle dit, cette parenthèse n'a joué merveilleusement son rôle que parce qu'elle renvoie *effectivement* à l'interprétation historiale des Temps modernes, du nietzschéisme et du nihilisme techniciste. Heidegger n'y cache rien, il n'y ment pas ; il dit vraiment ce qu'il pense : le national-socialisme fut, pour le peuple allemand, une manière radicale-historiale de *faire face* au défi de la «mobilisation totale», c'est-à-dire de la course mondiale à la puissance. De même que Nietzsche formule la métaphysique qui s'accomplit (et qui s'avèrera être celle de «l'âge atomique»), ainsi le national-socialisme a pratiqué une politique inévitable (selon Heidegger) et dont il faut savoir saluer aussi — en quelque sorte par-dessus la mêlée — la «grandeur». Accomplissement nietzschéen du nihilisme, passage de la ligne...

Quel est cependant le *non-dit* de la parenthèse ? On le comprend quand on complète l'historialisme radical par l'élément destinal sans lequel il n'y aurait pas d'appropriation (d'ailleurs, la «vérité interne» renvoie bien à un intérieur, à un propre). Plus clairement : si le national-socialisme comportait une «possibilité positive», c'est qu'il entraînait un *plus,* manquant dans les autres figures historico-mondiales de l'homme technique. L'américanisme et le communisme étant critiqués sévèrement à plusieurs reprises, des lectures trop bien intentionnées avaient cru pouvoir faire subir également ce verdict au «mouvement». Otto Pöggeler lui-même, qui ne manifeste plus guère une bienveillance excessive à l'égard de son ancien maître, écrit que l'éclaircissement fourni par la parenthèse est «complètement négatif»[19]; en fait, la parenthèse est *doublement* ambiguë : à l'ambiguïté qui sous-tend fondamentalement la technique selon la pensée du dernier Heidegger (entre le Dispositif technicien et l'événement destinal) s'ajoute l'ambiguïté «qui concerne le national-socialisme comme tel (ambiguïté dont la spécificité est recouverte par la seconde lecture).

Plus précisément, Pöggeler n'a pas tort de relever que la connotation de la parenthèse conduit maintenant à un jugement négatif sur le national-socialisme (Heidegger a donc ainsi habilement renversé la connotation positive de la «vérité interne et grandeur») ; mais il sous-estime (du moins dans ce passage précis) la marge d'ambiguïté qui subsiste dans le propos heideggérien. Une troisième lecture devient indispensable, précisément pour élucider le glissement qui s'est produit entre 35 et 53 (ou 66) à propos du national-socialisme.

Troisième lecture

Cette troisième lecture allait se déployer juste avant que nous ne fassions intervenir l'explication de la parenthèse. Il semble donc bien que celle-ci ait été destinée à détourner l'attention de cette possibilité. Laquelle ? Précisément celle qui met en scène la spécificité du possible national-socialisme (selon l'idée que Heidegger s'en fait en 35) : le partenaire n'est pas l'homme moderne en général, mais l'homme allemand, l'Existant nouveau *possible* (ce qui ne veut pas dire qu'il se confonde avec les traits idéologico-politiques déjà accusés par le régime) ; le répondant n'est pas la «technique déterminée planétairement» *en général,* mais cette technique en tant qu'elle dévoile son essence (de manière privilé-

19. Otto Pöggeler, *Heidegger und die praktische Philosophie, op.cit.*, p. 38.

giée dans la métaphysique de Nietzsche) et ce qu'elle abrite (la possibilité de ce que Heidegger commence à nommer *Ereignis* après 1936). Dans l'*Introduction à la métaphysique* elle-même, l'américanisme et le communisme sont explicitement critiqués en tant qu'ils représentent précisément un nivellement planétaire : «Toutes choses sont tombées au même niveau, qui est semblable à la surface ternie d'un miroir qui n'est plus réfléchissant, qui ne renvoie plus rien. La dimension prédominante est devenue celle de l'extension et du nombre... Tout cela s'est accentué ensuite, en Amérique et en Russie, jusqu'à atteindre l'ainsi-de-suite sans bornes de ce qui est toujours identique et indifférent...»[20]. Cette présentation de la situation mondiale, indissociable de la théorie de «l'étau» au sein duquel l'Europe se trouverait prise entre les deux superpuissances, se retrouve jusque dans le cours sur *Parménide* qui date de 1942/43. Il est d'ailleurs, significatif que dans notre texte de 35 et à quelques lignes de la phrase qui nous occupe, il soit précisé que Nietzsche a raté le véritable milieu (*Mitte*) de la philosophie, expression et pensée extrêmement hégéliennes (mais dont les implications et les sous-entendus excèdent l'idéalisme absolu, car le «milieu» est désormais à interpréter au sens hölderlinien)[21]. C'est donc en Allemagne et dans une explication avec la pensée germanique (Hölderlin et Nietzsche) que va se dessiner ce qui peut faire échapper l'Existant au nivellement technique planétaire. Ce possible, c'est *l'appropriation du destinal*. L'appropriation désigne une tâche dans le droit fil de «l'authenticité» prônée dans *Etre et Temps* et qui a pour corrélat la conjonction peuple-langue-histoire sous la forme singulière et propre qu'elle ne peut avoir que pour Martin Heidegger et ses compatriotes, c'est-à-dire la germanité. Celle-ci désigne effectivement ce qui n'est pas «échangeable» ni de gré ni de force, à la différence de l'américanisme et du communisme qui correspondent à des *types mondiaux*. Une relecture des cours de 34-35 sur Hölderlin (*La Germanie, Le Rhin*)[22] est ici éclairante pour confirmer à quel

20. Heidegger, *Einführung in die Metaphysik*, *op.cit.*, p. 35 ; *trad. cit.*, p. 55.

21. Voir la fin du cours *Der Rhein*, *Gesamtausgabe*, 39, p.287 sq.

22. Voir la traduction récemment publiée par François Fédier et Julien Hervier (*Les*

point l'idéal (qu'il ne nomme jamais ainsi) d'une appropriation du destinal s'enracine dans la communauté historiale du peuple germanique et surtout dans sa langue[23]; postérieurement (dans *Unterwegs zur Sprache* par exemple) le support populaire sera estompé au profit de la langue, mais celle-ci est bien l'allemand, la langue de Hölderlin et de Heidegger — et non la «parole» en général.

Le moins qu'on puisse dire est que le régime en place en Allemagne de 33 à 45 n'a pas entendu les choses dans le sens d'une recherche exigeante et pudique du «nationnel» hölderlinien : certes Hitler a fait déposer des couronnes sur la tombe de Hölderlin, certes la propagande officielle a usé et abusé du thème de la germanité et de la germanisation linguistique, mais — bien entendu — ce ne fut jamais avec la hauteur destinale dont rêvait Heidegger ; on eut la mise au pas, le racisme persécuteur puis exterminateur, le recours complaisant à la force pour la force et aussi «la folie de la technique» (l'expression est de Hitler). Il n'y a là rien d'étonnant : ce n'est pas la première fois (ni, hélas, la dernière) que la mystique dégénère en politique ; ce n'est pas la première fois qu'un intellectuel se leurre sur la nature d'un parti et d'un régime politique. Ce n'est pas la première fois qu'on est obligé (à tort et à raison) de distinguer entre la «vérité interne et la grandeur» d'une part, les mesquineries, les échecs, les crimes d'autre part. L. Plioutch lui-même, descendant du train qui le ramenait de sa captivité, ne saluait-il pas encore «les idéaux lumineux du communisme» ? Mais le cas de Heidegger est plus complexe et le rapport à l'idéologie différent : nous savons désormais que l'évolution postérieure à 1934 ne se réduit nullement à une désillusion à l'égard d'une idéologie présentable comme un idéal. Quelle que soit la pertinence du rapprochement, elle ne doit pas occulter la difficulté spécifique que révèle la troisième lecture. Non que la lettre y soit encore «volée». Au contraire, la lettre du

---

hymnes de Hölderlin : La Germanie et le Rhin, Paris, Gallimard, 1988). Les traducteurs donnant la pagination de l'édition originale en marge, c'est celle-ci que nous citons.

23. Sur l'être historial du peuple, voir Heidegger, *Gesamtausgabe*, 39, pp. 20, 31, 49-52, 120, 143-144 ; sur la poésie comme langue originelle d'un peuple, *ibid.*

texte se réinscrit dans un projet positif qui ne se confond ni avec la première lecture trop pressée, de faire l'amalgame entre le possible du penseur et le réel politico-idéologique, ni avec la seconde lecture trop empressée — quant à elle — de faire oublier les mauvais souvenirs et les rémanences gênantes au profit d'une interprétation planétaire tournée vers l'avenir. Deux lectures également anachroniques, pour des motifs diamétralement opposés, et qui empêchent, l'une et l'autre, d'identifier dans «la vérité interne et la grandeur de ce mouvement» cette rencontre (dont Heidegger a cru le temps venu — au moins durant quelques années) entre la germanité, et une appropriation nouvelle du destin de l'Occident. L'«avantage» de la troisième lecture est considérable, en ceci qu'elle permet de comprendre à quelle pensée fondamentale (ou à quel «idéal», en termes convenus) l'adhésion maintenue de Heidegger s'est rattachée. Adhésion, terme insatisfaisant qui correspond certes formellement au maintien dans le Parti et au paiement des cotisations (actes à la portée réelle difficilement appréciable en régime totalitaire) et qui recouvre, après le feu de paille enthousiaste de 33, un hiatus de plus en plus marqué entre le «possible» de cette «Révolution» et les réalités du régime.

La difficulté spécifique à laquelle nous avons fait allusion commence maintenant à se dessiner. Elle ne réside plus ni dans une éventuelle confusion de la «vérité interne et grandeur» avec le triangle de fer idéologique nazi (autoritarisme, impérialisme, racisme), ni dans sa fusion rétrospective avec une interprétation historiale trop large et rétrospectivement harmonisée. Elle délivre l'ambiguïté que notre troisième lecture tente de retrouver : elle est, comme telle, intérieure à la méditation de Heidegger durant les années postérieures à 33. «Toute forme essentielle de l'esprit se tient dans l'ambiguïté»[24]. Cette remarque du début de l'*Introduction à la métaphysique* s'applique à la philosophie en tant qu'elle ne saurait fournir «de façon immédiate» les conditions d'une action pratique, mais aussi en tant qu'elle peut et doit ouvrir «les voies et perspectives» du savoir qui concerne le destin d'un peuple historial. Cette reprise presque littérale des termes mêmes

24. Heidegger, *Einführung...*, *op. cit.*, p. 7 ; *trad. cit.*, p. 16.

de Heidegger permet de comprendre que «l'ambiguïté» de la philosophie était par lui opposée aux activités qui réclamaient sa mobilisation directe, mais que corrélativement cette ambiguïté ne pouvait être refusée au «mouvement», à partir du moment où une portée historiale lui était reconnue. Le jeu entre l'«interne» et l'«externe», entre la grandeur et le reste, sous-tend déjà ce qui se veut reconnaissance pensante, et va se retrouver — pour tout un chacun comme pour Heidegger lui-même — dans le conflit entre le «possible» et la brutalité des faits.

Tout l'effort de Heidegger dans ses cours sur Hölderlin (34-35), mais surtout sur Nietzsche (à partir de 36) sera donc de préciser les termes de cette ambiguïté, d'en accuser les traits, d'en préciser les enjeux. Si l'interprétation nietzschéenne de la volonté de puissance démasque l'accomplissement de la métaphysique occidentale, ce qu'elle annonce — le règne du Surhomme — sera purement et simplement le prolongement, l'exacerbation du projet de maîtrise planétaire. La «mobilisation totale» serait notre seul et unique destin ; le penseur n'aurait à s'élever qu'à la pointe de la domination, à l'avant-garde des fonctionnaires de la technique. Heidegger indique une autre possibilité qui est offerte, dès 34-35, mais ne sera qualifiée comme «n'étant plus métaphysique» qu'en 1941-42[25]: un accueil pensant et poétique de ce que le destin métaphysique occulte et cependant réserve, comme retrait (à travers la réalisation du nihilisme et au-delà de celui-ci)[26]. Nietzsche ou Hölderlin ? C'est déjà en faveur du second que se prononce Heidegger, en 1935, à la fin de son cours sur *Le Rhin*[27]. Mais l'ambiguïté ne se réduit pas à une alternative qui serait elle-même dénouée par un choix. Pour Heidegger, le penseur et le poète sont aux prises avec le «même» ; et l'histoire livre, sans les dissocier, les impératifs du présent et les signes d'un avenir autre.

L'identification de cette ambiguïté entre la «mobilisation totale» et la préparation de ce qu'elle occulte n'est pas suffisante.

25. *Id., Gesamtausgabe*, 52, *Hölderlins Hymne «Andenken»*, p. 99.

26. «L'être même se retire. Le retrait advient» (*Das Sein selbst entzieht sich. Der Entzug geschieht*) (Heidegger, *Nietzsche*, *op. cit.*, II, p. 355 ; *trad. cit.* modifiée, II, p. 285).

27. Heidegger, *Gesamtausgabe*, 39, *op. cit.*, p. 294.

Il faut comprendre maintenant pourquoi Heidegger a thématisé ainsi la jonction entre la pensée et l'histoire, pourquoi il a projeté cette ambiguïté (qu'il a pensée époquale) dans un «mouvement» (qu'il a cru fatal et par conséquent *bifrons*). Ce qui l'a conduit à cette «erreur» (qui est plutôt une errance, malgré sa «logique» interne) se noue dans le caractère radicalement historial-destinal de la pensée ; il nous reste à pénétrer au sein de ce dernier cercle. Et c'est alors que devrait se libérer pour nous une possibilité qui resta interdite à Heidegger lui-même (ou qu'il voulut interdire, recouvrant dans le silence la possibilité de l'aveu ultime) : percevoir pourquoi il ne put aller jusqu'au bout de son «autocritique».

*

Si un épilogue est encore permis, nous ne l'emprunterons point, comme Poe, à Crébillon fils ni même au mythe des Atrides. Et pourtant ces références se justifieraient indissociablement, car cette affaire est tragique de bout en bout ; mais, comme c'est souvent le cas dans la vie, ce tragique ne se livre qu'enrobé dans la quotidienneté et ses petitesses. Contraste extraordinaire entre l'enjeu de l'histoire de l'être, l'ampleur pensante que Heidegger sut lui donner, et la mesquinerie des maquillages de 53 et 66. Contraste non moins insolite (mais plus cruel) entre la noble hauteur du «possible» hölderlinien que Heidegger vit au fond du «mouvement» et l'implacable face d'ombre de ce dernier. Ces deux écarts sont-ils mesurables — et commensurables ?

Chapitre 5
Le dernier cercle

> Oui, nous sommes un peuple très différent, à l'âme puissante et tragique, réfractaire au prosaïsme de la raison et notre amour va au destin quel qu'il soit, pourvu que ce soit un destin, fût-ce un anéantissement embrasant le ciel des rougeurs d'un crépuscule des dieux.
>
> Thomas Mann, *Le docteur Faustus* [1].

> *Denn das Schickliche bestimmt das Geschick und dieses die Geschichte.*
>
> Martin Heidegger[2].

A partir de 1945, Heidegger n'a pas seulement mis au point une stratégie personnelle de défense au «profil bas» (la thèse des «dix mois») ; il a surtout poursuivi son effort de pensée, d'une manière non répétitive, en prenant ses distances à l'égard de ce qui restait «métaphysique» dans *Etre et temps* et en bâtissant patiemment une seconde œuvre. Il est raisonnable d'avancer que la stratégie a été conçue pour protéger ce travail, déraisonnable de réduire l'œuvre à une sorte de trompe-l'œil d'exigences purement circonstancielles.

1. Thomas Mann, *Le docteur Faustus*, trad. Louise Servicen, Paris, 1950, p. 223.
2. Martin Heidegger, «Der Ister», *Gesamtausgabe*, 53, p. 101. «Car le convenable détermine l'envoi et celui-ci l'histoire» (pour essayer de traduire l'intraduisible...).

Heidegger a toujours prétendu donner la priorité à la pensée, même pendant son engagement le plus actif (si l'on prend au mot cette prétention, l'échec du rectorat est moins dû à d'impossibles «compromis» qu'à l'impitoyable manifestation d'une déstabilisation de la pensée elle-même). Nous avons vu qu'il a précisé que le refus de publier de son vivant l'entretien du *Spiegel* était destiné à protéger son travail. Il n'y a pas lieu de mettre en doute la sincérité de cette affirmation. Quant à sa légitimité, c'est une autre affaire. Mais il n'est pas douteux que la publication par Heidegger d'une autocritique concernant la période nazie (quelle qu'eût été sa radicalité) aurait focalisé toute l'attention publique et académique sur cette question et aurait ouvert une série d'intenses débats comparables à ceux que nous avons connus récemment.

En outre, Heidegger — entendant travailler au premier chef pour ceux qui «savent entendre» — a certainement pensé que la progression et l'approfondissement de son œuvre éclaireraient rétrospectivement les limites, les présuppositions des travaux et des prises de position des décades antérieures. Là encore, il faut distinguer. Lui reprocher à cet égard son «élitisme» ou son «aristocratisme» (et *a fortiori* les confondre avec le nazisme) n'est pas de très bonne foi : cela revient à ignorer la spécificité du travail philosophique et à lui refuser d'être ardu (et de l'être à sa façon). Etroitesse d'esprit qui peut conduire à une forme de terrorisme intellectuel. Il est infiniment plus intéressant de déterminer si les travaux postérieurs au fameux «tournant» permettent de dénouer l'imbroglio de l'«apolitique» historiale.

Nous allons reposer la question sous l'angle de l'interprétation heideggerienne de l'histoire de l'être, en entreprenant une critique de son «historialisme» radical. La pensée de «Heidegger II» permet-elle de lever les principales difficultés qui hypothéquaient la philosophie de «Heidegger I» ? A cet égard, Ferry et Renaut ont raison de nous mettre en garde : on ne peut toujours jouer «Heidegger II» contre «Heidegger I» ; il faut penser leurs limites communes. Cependant, pour être féconde, cette mise en question ne doit pas méconnaître qu'un travail créateur s'est poursuivi chez «Heidegger II» et ne s'est pas réduit à la «stylisation» rétrospective de l'œuvre de «Heidegger I». La situation herméneutique que nous devons affronter est donc encore plus complexe que ne le suggère Habermas, lequel a — reconnaissons-le — un double mérite : mettre en garde contre l'établissement d'une «relation trop étroite entre l'œuvre et la personne», critiquer «l'abstraction essentialisante» qui permet à «Heidegger II» de disjoindre l'histoire ontologique des événements politico-historiques[3]. La critique habermasienne reste elle-même à mi-chemin : toute préoccupée de porter un jugement sur l'itinéraire heideggerien en termes d'idéologisation et de désidéologisation, elle rabat l'historialisme destinal sur un banal fatalisme antirationaliste. On risque ainsi de perdre de vue le fait que le système de défense de Heidegger n'a été si efficace que parce qu'il s'adossait à une réinterprétation philosophique sérieuse (ce qui ne veut pas dire indiscutable). C'est donc celle-ci qu'il faut maintenant réexaminer.

Le nœud renoué : l'a-politique historiale

Nous avons montré plus haut que l'engagement de 33 plonge Heidegger dans l'imbroglio d'une ontologisation directe de la politique. Heidegger a-t-il ensuite vraiment dénoué cet imbroglio ? En un sens, la distance progressivement gagnée à l'égard d'*Etre et temps* (et du «complexe philosophique» que Richardson a désigné comme «Heidegger I») est impressionnante. C'est un cas unique dans l'histoire de la philosophie (Schelling peut-être mis à part) qu'un auteur prenne un aussi grand recul à l'égard de son œuvre majeure. Dégager la question de l'être *comme telle* hors des limites de l'analytique de l'Existant, faire apparaître ces limites comme inhérentes à la métaphysique de la subjectivité dans le cadre d'une réinterprétation générale de la métaphysique comme histoire de l'être, essayer de trouver un questionnement nouveau, une langue nouvelle qui permettent de retourner les questions fondamentales vers leur site impensé et de dessiner en même temps les signes d'un «envoi» tout autre (et pourtant plus

3. Jürgen Habermas, *Martin Heidegger. L'œuvre et l'engagement, op. cit.*, p. 69 et 53. Voir aussi le chap. VI du *Discours philosophique de la modernité*, trad. Bouchindhomme-Rochtlitz, Paris, Gallimard, 1988.

originaire) que la métaphysique : tout cet immense travail est effectivement une prodigieuse avancée de la pensée, sans équivalent en Occident, et qui semble balayer les objections mesquines inspirées par les péripéties politiques et existentielles des années 33-34. En rappelant cette argumentation, il ne s'agit pas de *s'abriter* derrière la dignité académique, la subtilité et la difficulté herméneutiques de toute cette œuvre depuis 1935 (et dont la richesse, en particulier dans le cas des *Beiträge* n'est pas encore mesurée par les interprètes). Il faut considérer le fait que Heidegger a donné ainsi une auto-interprétation qui met en place une autocritique, mais propose également une «autodéfense», ou, plus exactement, une resituation ou redistribution des destins personnels au sein d'une articulation d'ensemble entre la politique (ou l'apolitique) et la pensée.

Cette auto-interprétation (expression due à Von Herrmann, reprise en mode plus critique par Pöggeler)[4] est très connue, déjà elle-même surinterprétée ; l'extrême difficulté ici est de s'en tenir à l'essentiel quant à la question politique. La différence capitale qui paraît caractériser la pensée du «second Heidegger» sur ce point se glisse dans le déplacement apparemment négligeable vers une a-politique, non simplement par défaut, mais du fait d'un dessein explicite. La méditation de l'histoire de l'être (et de la pensée de Nietzsche comme dernière figure de celle-ci) assigne l'espace politique moderne à la volonté de volonté, mais cet espace politique n'est plus du tout celui d'une *Polis* ; c'est, comme le montre de son côté Hannah Arendt[5], celui d'une technicisation planétaire qui commande le cycle de la production-consommation, massifie et atomise tout à la fois la société. Devant le déploiement de ce dispositif technicien, Heidegger soutient désormais la thèse qu'il n'y a rien à *faire* (de fondamental), mais à *attendre* un tournant destinal. Le penseur prône une *apolitique de l'attente.* La «vérité» de l'errance planétaire devient

4. Qui préfère parler d'«autocompréhension» ou «autoévidence» (voir Otto Pöggeler, *Heidegger und die praktische Philosophie, op. cit.*, p. 17 sq.).

5. Voir Hannah Arendt, *Condition de l'homme moderne*, trad. G. Fradier, Paris, Calmann-Lévy, 1983.

l'endurance de la pensée, une disponibilité (*Gelassenheit*) qui est à la fois en-deçà et au-delà de toute prise de parti.

Cette a-politique explicite, qui n'a rien d'un apolitisme et qui est toute différente de l'«apolitique» d'*Etre et temps*, se fonde sur la réinterprétation de la situation mondiale en fonction de la lecture de l'histoire de la métaphysique. De même que la métaphysique s'accomplit dans la cybernétique (au sens large), la politique «classique» (le calcul volontariste d'un équilibre des forces et des pouvoirs) le cède à la technicisation de tous les problèmes, y compris politiques. Plutôt que de «faire semblant» d'influer sur les événements (ce que font dérisoirement nos dirigeants, nos partis, nos médias), ne convient-il pas mieux de méditer l'élément *destinal* de cette situation, afin de sauvegarder le possible ?

Le cœur du débat : une pensée destinale (l'historialisme intégral) tranche (du point de vue ontologique, déplacé désormais vers «l'événement») entre ce qui ne dépend pas de nous (le cours du monde) et ce qui dépend de nous (la pensée). Partage très stoïque qui n'a rien de méprisable, mais dont la hauteur de vue elle-même survole (ou évite) de redoutables difficultés.

Ces difficultés, les voici tout à trac et en bloc (il faudra ensuite les désimpliquer) : ne produit-on pas là en fait — bien qu'on s'en défende — une nouvelle *philosophie de l'histoire* (plus négative que positive), dont les qualités et les défauts devront être appréciés en fonction des objections que *toute* philosophie de l'histoire rencontre aujourd'hui ? Cette vision destinale est-elle si questionnante qu'elle l'affirme ? Elle tranche la question des responsabilités (humaines, trop humaines) dans un seul sens, négatif — ou plutôt suivant une distribution censée souveraine : la pensée et le reste. Enfin et surtout, reconnaît-elle ou méconnaît-elle le statut du politique et de la politique aujourd'hui ?

Questions capitales qu'il faut examiner patiemment ; elles mèneront à un dénouement qui n'est pas celui que Heidegger propose : non un partage intégralement destinal, mais — anticipons brutalement — le déliement de la conjonction heideggerienne entre *appropriation* et *historialité* (ou destination). Une appropriation ouverte à une destination en suspens ? Cette perspective de pensée reportée vers la question du nazisme permettra d'appliquer le mouvement rétrograde du vrai, mais en un sens herméneutique : si Heidegger avait ainsi délié le nœud, n'aurait-il pas pu s'expliquer sur ce «passé qui ne passe pas»[6] ? Mais le nœud est resté noué, l'imbroglio a été déplacé, desserré — non dénoué. Il a été renoué d'une façon (destinale) qui ne pouvait qu'occulter la question particulière, mais capitale, du statut du nazisme et du sens (ou du non-sens) de l'Extermination. Il ne me revient pas ici de savoir si cette occultation a été, de bout en bout, délibérée. Le nœud est philosophique : l'analyse des textes (y compris celui qui porte sur la «vérité interne et la grandeur» du mouvement national-socialiste) le confirme.

Heidegger n'a peut-être pas manqué de courage (mais plutôt de lucidité critique), s'il a pu assumer une pensée si profondément nouée. C'est grâce à un débat porté jusqu'au plus intime de cette pensée qu'il faut extraire, sinon la raison, du moins les attaches qui paraissent à l'origine de l'acquiescement, de la non-condamnation, du silence. C'est pourquoi ce nœud ne sera dénoué, si c'est possible, que par un travail critique-rationnel qui marquera les limites de l'historialisme intégral de Heidegger.

L'historialisme destinal

Doit être ainsi nommée la pensée qui affirme que «tout est envoi destinal» (*Alles ist Schickung*)[7]. Non seulement il n'y a pas, pour Heidegger, d'instance supérieure (théologique ou normative), mais l'histoire elle-même est envoi et partage (*Geschick)*, ce qui vaut en tout premier lieu pour la métaphysique comme histoire de l'être. L'instance permanente, objectera-t-on, est l'être. Mais, à partir du moment où l'être est compris comme le nom de la présence, il n'est plus l'instance dernière : écrit à l'ancienne (*Seyn*)

6. Expression d'Ernst Nolte citée par Marc Froment-Meurice au début de son beau texte-témoignage, «Tourner la page?», *Nouvelle Revue de Psychanalyse*, 1988, n° 37.

7. Cité par Otto Pöggeler, *Heidegger und die praktische Philosophie*, *op. cit.*, p. 41. Cette phrase, tirée d'une note marginale du cours «Der Ister», n'a pas été reproduite dans l'édition imprimée. Dans la mesure même où il s'agit d'une «note intime», corroborée par de nombreux «échos» dans l'œuvre, elle nous paraît emblématique d'une orientation très profonde de la pensée de Heidegger.

puis barré, il est finalement «remplacé» par une instance transépoquale, l'Evénement. Déjà dans *Etre et temps*, la destruction de l'histoire de l'ontologie conduisait à comprendre l'être comme temps au sens «ek-statique», essentiellement à partir de l'avenir. Ensuite, dans «Temps et être» par exemple, la temporalisation est expressément rapportée à la quatrième dimension du temps : la donation elle-même. Nous sommes donc entièrement livrés ou exposés à l'historialité. Tel est notre lot, notre «être-jeté» sous sa forme la plus radicale. Et le fait d'être exposé au dispositif technique n'en est que la version ultime, provisoirement indépassable.

Méditons cette parole : «Tout est envoi». Elle porte bel et bien sur l'étant en totalité, sous ce point de vue, elle reste métaphysique — au sens de la métaphysique générale. Objection : il ne s'agit pourtant plus de *justifier* l'étant en général, comme le faisait l'onto-théologie. Réponse en forme de question : ne s'agit-il quand même pas d'une inversion (rusée, déplacée) de toute justification *fondatrice*, c'est-à-dire de toute théodicée ? Reportons-nous à la première des 24 thèses de Leibniz, qui a fasciné (à juste titre) Heidegger : *Ratio est in natura cur aliquid existat quam nihil* [8]. Au rebours de ce principe universel d'ordre, la sentence «tout est envoi» récuse toute nécessité unifiée et s'énonce cependant comme accueil de donations toujours singulières. L'historicité elle-même devient l'irréductible horizon de toute phénoménalité. Etrange «offrande» sans envoyeur ni destinataire, secrètement rapportée à une convenance et en attente d'une appropriation[9]. «Tout est envoi» signale la pensée fondamentale de Heidegger, glissée parfois de manière plus circonspecte (par exemple, «Le destin s'essaie au destin»[10]).

Heidegger s'interroge-t-il encore quand il écrit : «Tout est envoi» ? Il affirme, il prononce, il scelle ; et il clôt l'histoire sur sa finitude, rabattant toute l'humanité de l'homme sur celle-ci. L'his-

8. Leibniz, *Philosophische Schriften*, édit. Gerhardt, VII, p,289.

9. Paradoxe qui offre à Jacques Derrida le prétexte de *La carte postale*, Paris, Aubier-Flammarion, 1980. Voir en particulier les pp. 71-75.

10. Heidegger, «Geschick versucht sich an Geschick» (*Holzwege, op. cit.*, p, 311 ; *Chemins, trad. cit.*, p. 274).

torialisme radical n'est-il pas alors une pensée de l'envoi destinal et de l'Evénement, qui se fait définitive ? La «piété de la pensée» s'exerce désormais à l'intérieur de présuppositions renouées, quoique redistribuées (la possibilité de prendre mesure de la métaphysique comme telle, de s'en «distancier» historialement). Il n'en fut jamais tout à fait autrement dans aucune grande métaphysique, fixant les présuppositions fondamentales d'une approche du monde (le scepticisme radical fut presque toujours marginalisé, repoussé avec méfiance et même ridiculisé).

Si l'historialisme heideggerien a ainsi partie liée avec cette métaphysique qu'il essaie d'infléchir radicalement, sa mise en cause doit entraîner aussi celle de la présuppositon de l'accomplissement de ladite métaphysique. Faut-il, comme Heidegger s'y emploie, suspendre la rationalité à l'historicité de son envoi ? Nous venons de suggérer que Heidegger n'échappe pas complètement à une logique qui oriente et gouverne les plus anthentiques percées métaphysiques. Louange à double tranchant : la reconnaissance ainsi accordée à l'entente heideggerienne de la métaphysique n'est pas exactement celle qu'elle revendiquait.

Comment penser l'historialisme comme nouvelle donne métaphysique ? L'historialité, selon Heidegger, renvoie à une instance plus secrète, le destinal, lequel ne se réduit nullement à l'inévitabilité de ce qui survient. L'«envoi» heideggerien n'est pas cette fatalité qui vous frappe comme on reçoit un coup sur la tête sans en identifier l'origine. C'est une *moïra*, un lot qu'on découvre comme sien, qu'on s'approprie pour assumer les possibilités et les impossibilités qu'il impose : une destination qui ouvre un monde. Déjà, et très explicitement, cette pensée est présente dans *Etre et temps* : «L'envoi destinal de l'Existant dans et avec sa «génération» produit l'avent plein et propre de l'Existant»[11]. Le destin ne livre pas l'Existant à une dissémination indiscernable ou indécidable, mais à un repliement de son sens possible et partagé. L'époque, la génération m'offrent un possible qui peut devenir mien (au sein d'une communauté). Trait sans doute encore hégélien, car il suppose une unité de sens époquale dans l'histoire du monde. Trait

11. *Id., Sein und Zeit, op. cit.*, p. 385.

métaphysique supplémentaire, car il présuppose qu'à la pensée qui scelle le sens de l'étant en totalité s'adjoint un recours, un recueil du possible — et cela toujours dans la perspective de l'histoire du monde. La «répétition», dont Heidegger fait son thème initial et final dans *Etre et temps*, annonce peut-être — sous (et malgré) les dénégations, au-delà de la récusation de l'élément onto-théologique platonico-chrétien — la re-prise de l'originaire dans la métaphysique, la répétition de la fondation métaphysique. Tel est donc le ressort de cette «mimétologie» qu'analyse Lacoue-Labarthe dans *La fiction du politique*, mimétique dont l'enjeu est plus facile à saisir que le jeu (car celui-ci s'opère sans archétype plus prégnant que l'appropriation destinale elle-même). L'historialisme destinal reste ainsi dans une relation certes tendue, mais très intime, à l'élément indépassable de la métaphysique. Son destin est encore et toujours la métaphysique, mais comme retournée contre ce qui fut son cours dominant, guettant une origine encore à venir — et peut-être mythique.

Bien entendu, cet historialisme n'a plus rien à voir avec un simple historicisme. D'une part, parce qu'il relève d'un souci ontologique (et, on le voit maintenant, métaphysique), nullement ontique, anecdotique, historiographique. D'autre part, parce qu'il est assez avisé pour éviter toute projection imprudente sur l'avenir, à part celle qui résulte de sa présupposition fondamentale (l'attente d'une volte destinale). Quant à la philosophie de l'histoire, elle est exclue au sens classique ; et Heidegger fait tout ce qu'il peut pour éviter son retour, fût-ce même l'apparence de sa réapparition. Cependant, à partir du moment où sa vision de l'histoire se déploie selon l'axe de référence de l'histoire de l'être, à partir du moment où celle-ci est comprise en fonction d'une «pensée fondamentale» dont nous avons vu qu'elle affirme le caractère définitivement destinal de l'être, elle ne peut échapper elle-même à ce destin. Et la voici reprise par ce qu'on a nommé ailleurs «la rationalité comme partage»[12], dont on n'avait cependant pas assez montré qu'elle oblige à suspendre tout dogmatisme historialiste.

12. Dominique Janicaud, *La puissance du rationnel*, Paris, Gallimard, 1985, p. 283 sq.

Ce qu'il faut maintenant s'attacher à mieux comprendre, c'est l'articulation interne de cet historialisme destinal et le point à partir duquel il devient excessif. Un réexamen de «l'explication» avec Nietzsche nous y aidera. Dans une pensée qui fait de l'errance (*Irre*) son lot, le danger politique n'est pas le seul — même s'il est le plus saillant : sans cesse la pensée s'expose à se retrouver sur un chemin qui se perd (un *Holzweg*), risque qui ne saurait paralyser l'esprit de recherche. Le «tournant» a permis à Heidegger d'atteindre une attitude de pensée non activiste, non volontariste qui exclut un engagement comparable à celui de 1933. A cet égard, la pensée de «Heidegger II» desserre l'imbroglio d'une politique directement ontologique. Mais la pensée, désormais disponible et en attente, est toujours aussi désarmée devant les articulations positives de la vie publique et ses déterminations rationnelles. Le cercle de l'historialisme intégral n'ayant pas été dénoué, sa présupposition *exclusive* empêche d'opérer la jonction diacritique avec les exigences permanentes de la rationalité.

La «singularité historiale»

En 1942 encore, Heidegger élève le national-socialisme à cette hauteur littéralement fatale, tout en attaquant sévèrement son tout-venant idéologique[13]. Il est évident qu'en termes purement représentatifs (au sens hégélien), on comprend fort mal la juxtaposition quasi schizophrénique entre la reconnaissance et la censure, l'allégeance et la réserve ; tout au plus une lecture chronologique permettra-t-elle de déceler un net changement de ton entre les écrits de 33-35 et ceux qui sont postérieurs à 36, en particulier les *Beiträge* : de l'enthousiasme à la désillusion, de la mobilisation à l'analyse critique. Même le cours de 1942 sur Hölderlin se termine de la manière la plus questionnante (et non plus sur un appel à l'action) : «Y a-t-il sur cette terre une mesure ?»[14]. Mais il reste à interpréter cette modification radicale. Accordons qu'il ne s'agit

13. Voir Martin Heidegger, *Gesamtausgabe*, 53, p. 98. Rappelons que ce passage du cours sur Hölderlin de 1942 fait partie de nos «nouveaux amers» (chap. 2).

14. *Id., ibid.*, p. 203 sq.

pas d'un rejet, au sens où nous aurions aimé le voir apparaître : «L'indignation morale de ceux qui ne savent pas encore ce qui est se tourne souvent contre l'arbitraire et les prétentions à la domination des Guides — forme la plus fatale de l'appréciation que l'on continue à faire d'eux»[15].

Laissons à Heidegger la responsabilité de cette déclaration et essayons la grille interprétative qu'il nous offre lui-même. Au lieu de nous borner à diagnostiquer une *attitude* de plus en plus *oppositionnelle* à l'intérieur du régime, ce qui a une vérité dans la limite des catégories politiques les plus éculées, nous voyons plus fondamentalement s'effectuer la dé-couverte de l'essence époquale de la volonté de puissance, interprétée comme l'achèvement de la métaphysique. Dé-couverte qui enveloppe le chevauchement — sinon le recouvrement — d'au moins trois champs sémantiques: la métaphysique comme telle, la philosophie de Nietzsche en sa logique interne, la conjoncture historique qui singularise l'Allemagne. Il n'était nullement évident que ces trois champs dussent interférer, et à ce point ; il est plutôt manifeste, avec le recul du temps (c'est une leçon à garder en mémoire), qu'il était et demeure extraordinairement hasardeux de décider, sur le motif, que tel événement (ou série d'événements) est destinal. Autrement dit, il n'est pas illégitime d'éclairer une conjoncture à partir d'une philosophie et celle-ci à partir de l'essence de la métaphysique ; cette approche méthodologique reste à porter au crédit de Heidegger. Mais ce qui est difficilement qualifiable (c'est un geste d'une audace extrême et inquestionnée), c'est de court-circuiter ces trois champs, de telle sorte que la profondeur métaphysique soit happée par la conjoncture au moins autant qu'elle l'éclaire. Etrange renversement de l'historial qui n'échappe pas, malgré qu'il en ait, à sa caricature historiciste : interpréter la défaite de la France en 1940 dans les termes cités plus haut (p. 41), c'est bel et bien du «faitalisme» ; et si l'hégélianisme resurgit alors, ce n'est pas le meilleur de lui-même qui se survit ainsi.

15. *Id.*, *Vorträge und Aufsätze*, *op. cit.*, p. 93 ; *Essais et conférences*, *trad. cit.*, p. 108. A la même page, les *Führer* sont pensés comme «les suites *nécessaires* de ce que l'étant est passé à l'errance» (nous soulignons).

Mais, si critique qu'on soit tenté d'être à l'égard de cet historialisme destinal, il faut admettre que le trait fondamental de l'évolution heideggerienne durant les années 1935-45 s'éclaire : le «système» de Nietzsche avec le réseau de ses cinq termes fondamentaux (volonté de puissance, nihilisme, éternel retour, surhomme, justice) est le «moteur» (ou la vérité) métaphysique du nihilisme actif dont le national-socialisme se fait l'expression adaptée en Allemagne. A cet égard, la volonté de puissance nazie n'est pas à différencier — si ce n'est par sa «franchise» — des autres formes (américanisme, communisme) à travers lesquelles se déploient les «machinations» de la lutte universelle pour la puissance. Correspondance, donc, avec l'ultra-moderne (et non le post-moderne, comme le croient Ferry et Renaut) : telle est la face dominante du lot germanique. Revoyons ce que Heidegger, en 1934-35, pensait accordé aux Allemands : «la puissance de saisie, la préparation et la planification des domaines, et le calcul, l'ordonnancement jusqu'au déploiement de "l'organiser"»[16]. Cela correspond bien à l'effectivité du nihilisme actif que Heidegger considère comme inévitable.

On comprend, dès lors, la disparition de l'enthousiasme à partir de 1936-37, la percée au contraire de la détresse — sinon du désespoir (dans «Dépassement de la métaphysique»). Car, selon Hölderlin :

Est détestée
Du dieu songeant
Une croissance prématurée.[17]

Le thème de l'attente du dieu fait son apparition dans les *Beiträge* : attente à laquelle la suite de l'œuvre n'assignera aucun terme. Le «possible» national-socialiste s'est aminci jusqu'à n'être plus qu'un trait vide à l'horizon. Il restera un futur antérieur ou plutôt un conditionnel irréel du passé. Mais Heidegger refusera de convenir que c'est encore trop lui accorder.

16. *Id., Gesamtausgabe*, 39, p. 292.

17. Hölderlin, «Du cycle des Titans», IV, p. 218, cité par Heidegger en conclusion de l'*Introduction à la métaphysique*.

On voit à quel point l'allusion de 1942 à la «singularité historiale» du national-socialisme est une clé significative. Dans sa structure, le passage du cours sur l'«Ister» retrouve la bipartition rhétorique et intellectuelle de la déclaration de 1935 sur «la vérité interne et la grandeur» du mouvement national-socialiste : on se démarque avec mépris de la vulgarité idéologique pour saluer l'importance réelle (historiale) du «mouvement». On prétend donc se situer au-dessus des prises de position ouvertement et banalement politiques. Et c'est précisément ce ton «grand seigneur» et son trait anti-idéologique qui fait qu'on ne peut accorder — sans plus — un satisfecit à l'interprétation issue de la justification rétrospective : l'opposition à l'idéologie nazie. D'une part, parce que si celle-ci n'est pas une pure théorie, le «mouvement» est encore moins monolithique ; d'autre part, pour la raison suivante, beaucoup plus fondamentale : s'il y a reconnaissance de l'importance du «mouvement» — personne ne peut le nier —, celle-ci n'est compréhensible qu'à partir d'un noyau très intime à la pensée de Heidegger (le noyau destinal hölderlinien, en tension constante avec la réinterprétation de l'effectivité). C'est donc Heidegger lui-même qui nous oblige à remonter à ce noyau et à aller creuser à un niveau où idéologies et opinions sont contournées, dépassées, mais où apparaissent des affinités électives plus subtiles, sous le couvert d'une véritable *loi de l'histoire* : «La loi de l'histoire place l'homme historial selon une manière conformément à laquelle le propre est le plus lointain et le chemin vers le plus propre est le plus long et le plus difficile»[18].

Nietzsche : le différend sans dénouement

Un des paradoxes les plus saisissants de la réinterprétation heideggerienne de l'histoire occidentale comme histoire de l'être, c'est que — tout en se prétendant non hégélienne (puisqu'elle n'admet plus de nécessité rationnelle transcendante) —, elle aboutit *en fait* à l'admission d'une nécessité (ou d'une «inévitabilité» destinale) au moins aussi implacable que le jugement du tribunal de la

18. Heidegger, *Gesamtausgabe*, 53, p. 179.

Raison universelle. Nietzsche sert ici de contre-feu à l'égard de Hegel, mais d'une façon qui n'est jamais simple ni innocente ni dénuée de sollicitations. Vouloir aborder la gigantomachie Heidegger-Nietzsche en quelques pages est une gageure ; l'explication de Heidegger avec son «adversaire le plus intime» est complexe ; elle comporte — de 1935 aux années 50 — des variations et des «couches» interprétatives que nous ne pouvons analyser ici[19].

Dans sa «Lettre au Rectorat de l'université de Fribourg» (1945), Heidegger écrit : «A partir de 1936, j'entrepris une série de cours et de conférences sur Nietzsche, prolongée jusqu'en 1945, et qui constitue de façon encore plus claire une explication (*Auseinandergetzung*) et une résistance spirituelle. En vérité, on n'a pas le droit d'associer Nietzsche au national-socialisme, assimilation qu'interdisent déjà, abstraction faite de ce qui est fondamental, son hostilité à l'antisémitisme et son attitude positive à l'égard de la Russie. Mais, à un plus haut niveau, l'explication avec la métaphysique de Nietzsche est l'explication avec le nihilisme, en tant qu'il se manifeste de façon toujours plus claire sous la forme politique du fascisme»[20].

Cette déclaration est à prendre très au sérieux : elle se fonde sur des faits incontestables et se situe au centre du débat qui nous intéresse ici, en nouant indissociablement le débat avec Nietzsche et la «résistance» à l'égard du national-soclalisme. Il est impossible de comprendre pleinement l'extraordinaire attention donnée par Heidegger à Nietzsche, hors du contexte politique des années 1935-36 et suivantes. En effet, comment ignorer l'utilisation éhontée faite de Nietzsche par le régime nazi, son élévation au rang de maître à penser officiel, mais au prix d'innombrables «caviardages» de ses textes et de grossières schématisations ? De l'extérieur, le fait de dispenser des cours sur Nietzsche ne pouvait qu'être bien vu par les autorités (à cet égard, Heidegger n'a aucun «mérite») ; mais il est évident que le contenu des cours de

19. Que Michel Haar a étudiées avec beaucoup de finesse. Voir, en particulier, deux textes (à ce jour inédits) : «L'adversaire le plus intime. Heidegger/ Nietzsche : proximité et distance» ; «L'Impensé ambivalent du Surhomme et la double pensée politique de Heidegger».

20. *Cahier de l'Herne Heidegger*, Paris, 1983, p. 102.

Heidegger se démarque radicalement des discours idéologiques de l'époque, non seulement par le niveau élevé et la connaissance des textes, mais par la mise à l'écart du recours aux «valeurs» nouvelles, au biologisme et à l'activisme de la volonté de puissance. Qu'il y ait une «résistance spirituelle» à *l'idéologie* nazie, c'est incontestable. La lecture purement *métaphysique* de l'œuvre de Nietzsche — et avec quelle systématicité, quelle hauteur ! — manifeste une rupture radicale et même méprisante avec l'exploitation immédiate de Nietzsche à des fins de propagande et de «mise au pas». Heidegger écrit donc quelque chose de véridique sur ce point en 1945. Cependant, la date même de cette déclaration doit nous faire prêter attention au fait qu'il s'agit incontestablement d'une autojustification : en fait, Heidegger n'a jamais associé de façon aussi nette le fascisme au nihilisme que dans ce texte écrit sous la contrainte d'une procédure de «dénazification» ; les allusions à l'actualité dans les cours tenus durant cette période (connus, pour la plupart, depuis une date relativement récente) ne décèlent guère une résistance de Heidegger au *régime*.

Ce qui fait question ici, ce n'est pas que la pensée de Nietzsche soit interprétée comme métaphysique et qu'elle soit censée s'articuler autour de la tension entre la volonté de puissance et l'éternel retour jouant respectivement les rôles de l'*essentia* et de l'*existentia* (cette option heideggerienne a déjà été ardemment discutée et reste l'un des enjeux des joutes philosophiques actuelles) : c'est le *statut historial* de cette métaphysique (statut condensé en cette phrase : «L'histoire de l'être est l'être même, et rien que celui-ci»[21]). Heidegger aurait pu se contenter d'affirmer que la critique nietzschéenne de toute *philosophia perennis* impliquait chez Nietzsche une relation ouverte et toute nouvelle à l'histoire et à l'historicité, non sans une ambiguïté fondamentale (puisque toute une face de la vie n'est pas historique) ; il aurait pu s'en tenir à penser la modernité de Nietzsche, ce qui n'était pas une mince tâche. Il va infiniment plus loin : il fait de Nietzsche le penseur du nihilisme, c'est-à-dire de la métaphysique s'accomplissant, âge du monde qui dévalorise le suprasensible en le ren-

21. Heidegger, *Nietzsche*, *op. cit.*, II, p. 489 ; *trad. cit.*, II, p. 398.

versant. Le rôle historial de la «pensée Nietzsche» n'est intelligible qu'à l'intérieur du schème de l'histoire de l'être comme destin du platonisme (schème qui implique une unité de «la métaphysique», que cette unité soit ontologique et que «le platonisme» en soit l'envoi). L'expression «rôle historial» est encore faible pour caractériser «l'historialisation» directe et intégrale de la métaphysique. Dispositif interprétatif qui présuppose d'emblée la jonction entre l'être et l'historicité ou mieux : que l'être *soit* fondamentalement historicité (l'acquis herméneutique d'*Etre et temps* est donc totalement intégré à l'horizon herméneutique du *Nietzsche*). «Ce qui est est cela qui advient» glisse Heidegger à la fin du chapitre le plus audacieux et le plus déconcertant du second volume de son *Nietzsche*[22]. Mais il ajoute aussitôt : «Ce qui advient est déjà advenu»[23]. Nuance qui paraît négligeable, mais qui nous place devant une sorte de «fait accompli» ontologique (qui transgresse d'emblée toute factualité) : ce qui est déjà advenu, non au sens d'une antériorité purement chronologique, mais au sens d'une liberté du possible, c'est le dévoilement métaphysique de l'être comme présence du présent, réorienté (en son envoi moderne) comme domination inconditionnée de la subjectivité (depuis Descartes).

S'il est vrai qu'aucune nécessité «extérieure» n'a été attribuée à la pensée de Nietzsche, son degré de nécessité n'a pas été précisé. Mais cette pensée a été impliquée (en fonction de la structure interne qui lui a été reconnue) au sein du schème de l'*historialisation* de la métaphysique — vers lequel nous voici entraînés par l'acceptation de ce «fait» massif : nous sommes les héritiers tout à la fois du platonisme et de sa réorientation cartésienne-moderne. Il n'est pas surprenant qu'une pensée destinale ne se pose pas à partir de principes, mais subvertisse radicalement tout principe en *advenant* (ou en affirmant ce qui est advenu en elle). Mais ce que Heidegger impose comme «allant de soi» est plus qu'un héritage parmi d'autres : c'est ce qu'il appelle la domination (*Herrschaft*)

22. *Id.*, *Nietzsche*, *op. cit.*, p. 388 (dans le chapitre sur «La détermination ontologico-historiale du nihilisme») ; *trad. cit.*, II, p. 311.

23. «Was ist, ist das, was geschieht. Was geschieht, ist schon geschehen» (*ibid.*).

inconditionnée de la métaphysique de la subjectivité (jusque chez Nietzsche). Le caractère toujours surprenant de ces pages vient du mélange, chez Heidegger, d'une conscience extrêmement lucide des difficultés de sa démarche (qui ne peut se dispenser des «bâtons et des béquilles» de la métaphysique)[24] et d'une intrépidité désinvolte qui balaie tous les obstacles pour imposer un nouveau langage : précisément celui de la *Not-wendigkeit* du nihilisme.

Notwendigkeit : nécessité. Allons-nous encore nous laisser arrêter par le préalable de la traduction, objectera le lecteur impatient, excédé par le «procédé» heideggerien (qui consiste à substituer «l'écoute» d'une étymologie ou d'un hapax linguistique à la résolution argumentée d'une aporie) ? Toute objection, devant être ainsi «retraduite» au sein du «langage» heideggerien, n'y perd-elle pas son mordant et même sa légitimité ? Réduisons autant que possible ce genre de préalable en prêtant pourtant attention au jeu que Klossowski ne réussit pas à faire entendre entre *das Un-ablässige* (le nécessitant au sens de «ce qui ne nous lâche pas») et *das Brauchende* (le nécessiteux au sens de celui «qui a besoin»)[25]. L'être est nécessitant en un sens double et pourtant unique, parce qu'il est à la fois impérieusement inévitable et (en détresse silencieuse) ménager de *notre* être. L'être s'impose et attend ; contraint et accueille. Son visage impérieux : la domination de la métaphysique comme nihilisme ; sa face réservée : l'accueil de la détresse (*Not*) par une pensée qui ébauche un pas en retrait de la métaphysique[26].

Visage de Janus de l'être historial ? Cette référence n'est qu'incomplètement satisfaisante, car «l'économie» des deux côtés n'est pas celle d'une symétrie ni d'une complémentarité, mais le jeu d'un même retrait. Si celui-ci est occulté, l'être est tenu pour rien par la «dictature» de la volonté de volonté sur l'étant. Si le

24. *Id.*, *Nietzsche*, *op. cit.*, II, p. 397 ; *trad. cit.*, II, p. 318.

25. *Id.*, *ibid.*, II, p. 391 ; *trad. cit.*, II, p. 313. *Brauch* est un mot essentiel du vocabulaire de Heidegger, mais fort difficile à traduire : voir, en particulier, «La parole d'Anaximandre» (*Holzwege*, *op. cit.*, pp. 338-339 ; *Chemins*, *trad. cit.*, p. 299).

26. Ce pas que Heidegger nomme alors déjà *Schritt zurück* (*Nietzsche*, *op. cit.*, II, p. 390 ; *trad. cit.*, II, p. 312).

retrait de l'être apparaît comme tel, alors se dégage sa détresse, notre détresse (et la détresse cachée de l'absence de détresse). Ce qui sépare le nihilisme actif et la pensée qui le «surmonte» paraît bien fragile. C'est cette limite mouvante qu'Ernst Jünger nommera «la Ligne» et à laquelle Heidegger consacrera un texte célèbre[27].

Plusieurs enseignements doivent être tirés de cette relecture de la fin du chapitre VII du Nietzsche[28]: concernant la pensée de Nietzsche lui-même, touchant le statut du discours heideggerien, ses «résultats» politiques et, finalement, l'ultime conséquence de l'historialisme destinal.

Nietzsche lui-même ? Avouons qu'il disparaît ici complètement au profit de son extraordinaire élévation métaphysico-historiale, en tant que penseur de la volonté de puissance et annonciateur du Surhomme (interprété par Heidegger comme l'homme de la mobilisation totale pour la maîtrise de la terre : le Technicien-travailleur-soldat). Sa *mise en relation* historiale réduit ses ambiguïtés, au profit de son sens destinal. Aux coups de force des idéologues nazis, Heidegger répond par un autre coup de force, infiniment plus subtil : au lieu de réfuter la pensée à partir des valeurs, il en fait apparaître à la fois la nécessité et la limite historiale ; «l'impensé» de Nietzsche efface bien des bougés de sa pensée. Le différend avec Nietzsche devient le Différend même de l'âge nihiliste : exacerbation de la volonté de puissance ou tournant historial ?

Le discours heideggerien se fait alors plus étrange encore. A l'abri de l'autorité de sa chaire, il présente une interprétation monumentale du philosophe le plus célébré par le régime nazi. Mais ce discours est doublement insolite : il comporte une critique incessante de l'idéologie officielle ; il s'offre dans un langage de plus en plus singulier et même ésotérique — et qui se veut pour-

27. Voir Heidegger, *Zur Seinsfrage*, Frankfurt, Klostermann 1956 ; «Contribution à la question de l'être», *Questions I*, Paris, Gallimard, 1968, trad. G. Granel, pp. 195-252.

28. Relecture qui ne prétend nullement à l'exhaustivité, car il s'agit d'un des textes les plus denses et les plus difficiles de ce livre, et peut-être de toute l'œuvre de Heidegger.

tant la vérité, le dévoilement de ce qui *advient* à travers l'histoire au XXe siècle. Discours à la fois inactuel (par son extrême hauteur) et excessivement actuel (par son «diagnostic» sans cesse référé à la situation mondiale). Discours qui se veut au-delà du pessimisme et de l'optimisme, mais qui s'avoue sans illusions, exposé à une douleur quasiment apocalyptique (et telle par son caractère de révélation eschatologique) : «Des souffrances illimitées et une souffrance sans mesure annoncent ouvertement et tacitement la situation universelle en tant que la plénitude de la détresse»[29]. Paroles terribles, dont on se demande seulement comment elles ont pu être prononcées dans un cours, donc en public.

Les conséquences politiques sont considérables ; elles ont le type d'évidence que nous avons rencontré à propos de «La lettre volée»[30]; il suffit de lire et de comprendre. Mais elles ne sont nullement déductibles d'exigences propres à la politique considérée comme sphère autonome : la politique, aux yeux de Heidegger, est entièrement livrée à la technique (déterminée elle-même par l'essence du nihilisme) : la *polis* au sens grec est devenue impossible, précisément parce que la Cité ne peut plus être pour nous ni demeure ni question[31]. La politique est désormais soustraite à tout questionnement et n'offre plus (par elle-même) aucun recours, puisqu'elle est livrée à la calculabilité totale pour la domination de la terre (quels que soient la constitution ou le régime officiellement en place).

Enonçons donc l'évidence : l'historialisme destinal conduit Heidegger à une interprétation purement époquale du nazisme. Le caractère *inconditionné* de la réalisation du nihilisme interdit tout autre recours que destinal. Cela ne revient pas à affirmer que tout est nécessaire, mais que le *trait fondamental* de l'époque est inévitable. Le destin qui, pour Hegel, n'était que la contrainte encore indéchiffrée de la nécessité rationnelle[32] ne renvoie plus ici qu'à la

29. Heidegger, *Nietzsche, op. cit.*, II, p. 392 ; *trad. cit.*, II, p. 314.

30. Voir *supra* chap. 4.

31. Heidegger, *Gesamtausgabe*, 55, p. 99.

32. Voir Dominique Janicaud, *Hegel et le destin de la Grèce*, Paris, Vrin, 1975 ; en particulier, «Anamnèse et destin», pp. 317-324.

«déclosion» de l'être. Il n'est pas moins brutal, mais au contraire encore plus douloureux, sans réconciliation obligée, implacablement exposé au retrait de l'être en attente d'un abri.

Plus précisément, cet historialisme destinal mène Heidegger bien au-delà de ses illusions de 1933-34 concernant une révolution directe et immédiate, bien au-delà de son volontarisme et de son relatif «activisme», au-delà également de l'espoir hölderlinien, du moins en tant qu'il avait été perçu pendant plusieurs années comme susceptible de toucher vraiment le peuple. Heidegger ne semble plus nourrir d'illusions sur la possibilité, pour l'Allemagne, d'échapper au destin planétaire. Il ne faut pas non plus masquer le revers de cette attitude de pensée : rien n'est fondamentalement opposé ni opposable au nihilisme actif, sur le terrain même de l'histoire. Il est désormais évident (ce qui confirme de l'intérieur la déclaration de 1945) que le nazisme est compris comme une forme (sans doute la plus dénudée) de ce nihilisme actif[33]. Même si tout l'effort pensant de Heidegger est de dégager un horizon de pensée autre, il n'en reste pas moins que son attitude pratique a (et a eu effectivement) toutes les apparences d'une acceptation fataliste de l'inéluctable. «L'homme historial» n'a d'autre ressource que de faire *l'expérience* du danger et de la douleur, d'aller en quelque sorte au devant du retrait de l'être et de la disponibilité pour un recueil (de ce retrait) qui ne serait pas nihiliste.

La conséquence la plus lourde de cet historialisme destinal s'avère être la justification ontologique de ce nihilisme actif, y compris dans son renversement de la *ratio* en *animalitas*, sur lequel nous allons revenir. Par justification, nous n'entendons pas principalement une allégeance personnelle ni une approbation subjective, mais cette forme — très particulière à Heidegger — d'assignation *a posteriori* de la nécessité à l'histoire occidentale réinterprétée à partir de son axe métaphysique. C'est une justification au sens d'une reconnaissance de la justice (*die Gerechtigkeit*), ce thème qui est censé sceller chez Nietzsche l'institution de la

33. La volonté de puissance était une inspiration ouvertement proclamée par le régime nazi.

volonté de puissance comme transvaluation (la subjectivité inversée)[34]. Autant se pose la question de savoir à quel point ce trait peut être déterminant dans l'interprétation de l'Occident moderne, autant il est discutable — pour ne pas dire plus — d'inclure dans un schème historial d'ensemble (dont la nécessité a été présupposée) une caractéristique extrêmement localisée historiquement — le biologisme, le racisme — qui gagne ainsi *de facto* un statut historial, elle aussi. Lisons plutôt ces quelques lignes des *Chemins*, qui restent totalement énigmatiques tant qu'on ne les inscrit pas dans le dispositif de l'historialisme destinal tel que Heidegger le met en œuvre : «L'homme comme être raisonnable de l'époque des Lumières n'est pas moins sujet que l'homme qui se conçoit comme nation, qui se veut comme peuple, se cultive comme race et finalement accroît sa puissance pour devenir maître de la planète»[35]. Loin d'être approuvées, ces différentes «positions fondamentales» de la subjectivité sont certes radicalement critiquées ; mais le racisme est, malgré tout, qualifié de «position fondamentale» et glissé au sein d'un processus considéré comme historico-mondial, par conséquent inévitable — et dans une proximité avec les notions de «peuple» et de «nation», qui ne semble pas due au hasard. Si le règne de la subjectivité est inconditionné, il est évident qu'il n'épargne pas non plus le nazisme ; sur ce point, la critique heideggerienne est pénétrante ; mais ce qui l'est moins, c'est de dissoudre la spécificité du nazisme au sein d'un nihilisme actif (commun à l'ère technicienne) et, dans le même temps, de conférer une dimension décisivement planétaire au conditionnement biologisant : «L'homme, devenu l'*animal rationale*, ce qui veut dire aujourd'hui le vivant qui travaille, ne peut plus qu'errer à travers les déserts de la terre ravagée [...] Aux pleins pouvoirs donnés au surhomme répond la libération totale du sous-homme. L'impulsion de l'animal et la *ratio* de l'homme deviennent identiques»[36].

34. Voir Heidegger, *Nietzsche, op. cit.*, II, pp. 314-334 ; *trad. cit.*, II, pp. 251-266.

35. *Id.*, *Holzwege, op. cit.*, p. 102 ; *Chemins, trad. cit.*, p. 99.

36. *Id.*, *Vorträge und Aufsätze, op. cit.*, p. 72, 94 ; *Essais et Conférences, trad. cit.*, p. 81, 109.

On peut sans doute faire valoir que Heidegger essaie ainsi de penser la présupposition métaphysique de conditionnements et de menaces qui débordent le problème du racisme et que, de son côté, plus récemment, Foucault a circonscrit sous le nom de «bio-pouvoir» ; mais précisément, la généralité du propos est telle, chez Heidegger, que, adossée à l'historialisme destinal, elle s'apparente à ce «faitalisme» dont se gaussait Nietzsche à propos des hégéliens : «Regardez un peu la religion de la puissance de l'histoire ? Observez ces prêtres de la mythologie des idées, et leurs genoux écorchés ! Les vertus elles-mêmes ne marchent-elles pas toutes à la suite de cette croyance nouvelle ? Ou n'est-ce pas de l'abnégation quand l'homme historique se laisse aplatir jusqu'à l'état de miroir objectif ? N'est-ce pas de la magnanimité que de renoncer à tous les pouvoirs du ciel et de la terre parce que, dans tous les pouvoirs, on adore la puissance en soi (*die Gewalt an sich*) ?»[37].

Même si ces lignes ne peuvent pas être appliquées *telles quelles* à Heidegger, elles gardent à son endroit une force corrosive — et cela pour deux raisons. D'abord, parce qu'il est de bonne guerre de rappeler l'étrangeté d'une interprétation qui utilise Nietzsche pour retrouver *une* nécessité (même *a posteriori*) dans l'histoire, idée étrangère à Nietzsche pour qui la vie défie toute nécessité. Ensuite, parce que, dans l'idée que Heidegger se fait de la domination métaphysique, il y a bien une «puissance en soi», de même qu'il subsiste — semble-t-il — quelque chose de religieux dans la pensée que l'être recèle par lui-même un abri ou un salut. Puissance de l'être, puissance de Dieu dans l'histoire : termes presque substituables. L'être est encore substantifié, une quasi réflexivité lui est prêtée. Une critique nietzschéenne est opérante pour mettre en cause un *schème historial* qui permet, au nom de l'être, d'avaliser comme nécessaire ce dont nul ne sait s'il l'est réellement (mais qu'on souhaite être tel, car échappant au questionnement, à la critique ?). Schème historial qui, déniant à l'homme la moindre prise sur ce cours fatal des choses, interdit toute résistance *effective*[38].

37. Nietzsche, *Considérations inactuelles*, II, Paris, Aubier, 1964, pp. 334-335.

38. Heidegger, *Vorträge und Aufsätze*, *op. cit.*, p. 93 ; *Essais et Conférences, trad.*

Epilogue critique

Ce qui est ainsi fondamentalement critiquable, ce n'est pas l'accent mis sur l'historicité, mais *son caractère exclusif et inconditionné* qui conduit, corrélativement, à une conception trop globale du nihilisme planétaire. Ce passage à la limite concernant le nihilisme (puis la Technique) contraint Heidegger à penser que le totalitarisme est inévitable, voire qu'il est le système politique qui correspond à l'essence de la technique et qui — à tout le moins — répond le plus directement à ses injonctions de commande, de production et de contrôle. Ce dérapage explique l'erreur de jugement concernant le nazisme, mais ne doit pas être compris uniquement à partir de ce dernier : il compromet toute approche déterminée et positive du phénomène politique en sa rationalité (toujours relative). La racine philosophique de cette méprise décisive est la jonction directe, elle-même exclusive, entre l'être et l'errance historiale, telle qu'on la voit formulée — sous sa forme la plus pure dans «La parole d'Anaximandre», lorsque le rappel de la déclosion (et du retrait) de l'être dans l'étant (thématique qui n'est intelligible qu'à partir d'une relecture de *L'essence de la vérité*)[39] mène soudain à une pensée essentielle, ontologique, de l'histoire. Heidegger va jusqu'à écrire : «L'erreur est le domaine essentiel de l'histoire»[40]. Cette phrase est, à la lettre, absurde. Cependant, *Irrtum*, antécédent du sujet, ne signifie pas *stricto sensu* erreur, mais plus fondamentalement — jeu de mots à peine traduisible — le règne de l'errance. Heidegger expliquera, aussitôt après, que cet *Irrtum* est l'époque comprise comme époque de l'être, c'est-à-dire retenue éclaircissante de celui-ci : «Chaque époque de l'histoire mondiale est une époque de l'errance». Une indication qui suit situe cette errance

---

cit., p. 108. Otto Pöggeler montre bien que la «résistance spirituelle» selon Heidegger a été inséparable d'une conception abstraite de la société moderne et d'une méconnaissance de la spécificité de la dimension politique : voir «Heideggers politisches Selbstvertändnis», *Heidegger und die praktische Philosophie*, *op. cit.*, p. 48 sq.

39. En particulier, du § 7, «La non-vérité en tant qu'errance».

40. Heidegger, *Holzwege*, *op. cit.*, p. 310 ; *Chemins*, *trad. cit.*, modifiée, p. 274.

dans l'horizon du temps : l'errance historiale est «ek-statique», à l'instar de l'essentiel dans la temporalité.

Bien des critiques sont formulables à l'encontre d'une pensée du temps originaire, qui se fait directement philosophie de l'histoire. Notre objection ici entend surprendre Heidegger à ce niveau minimal, mais décisif, où d'une méditation transcendantale sur l'essence de la vérité il *passe* à une détermination essentielle de l'histoire. Il y a là un coup de force, ou d'audace, de la pensée sans équivalent dans l'histoire de l'Occident. Cette jonction entre l'être et l'histoire est au moins aussi sujette à caution que la correspondance hégélienne entre l'esprit et cette même histoire. L'une se fait à partir du retrait de l'être, l'autre en fonction du développement de la rationalité. Dans les deux cas, significativement, se déploie un recours —oblique ou frontal — à la nécessité. Rationnelle, celle-ci définit un «sens de l'histoire». Destinale, elle impose sa contrainte et fascine par son énigmatique privilège[41].

Ce coup de force de l'historialisme destinal ne se produit pas dans ce seul texte. Il faudrait en repérer systématiquement les occurrences et les variantes. Citons-en encore deux exemples saillants. Dans le *Schelling, Etre et temps* est dit opérer un tournant dans l'être même[42]; dans la remarque ajoutée en 1954 à *De l'essence de la vérité*, le «tournant» de Heidegger est présenté comme «le dire d'un tournant à l'intérieur de l'histoire de l'être»[43]. Etre, histoire de l'être, histoire (ontologique) du monde : ces termes ne sont pas équivalents, mais ils autorisent bien des glissements et marquent peut-être autant de jalons de l'historialisme destinal comme nouvelle philosophie (négative) — de l'histoire. A cet égard, il faut peut-être finalement donner raison à Hans Jonas, quand il affirme que le second Heidegger délaisse, par ses métaphorisations de l'être, le strict respect de la différence ontologique (le sens d'*être* en son infinitif, ajouterons-nous)[44].

41. Voir *id., Gesamtausgabe*, 53, p. 98.

42. *Id., Schellings Abhandlung über das Wesen der menschlichen Freiheit*, Tübingen, Niemeyer, 1971, p. 229 ; *Schelling*, trad. J.-F. Courtine, Paris, Gallimard, 1977, p. 324.

43. *Id., Vom Wesen der Wahrheit*, Frankfurt, Klostermann, 1954, p. 26.

44. Voir Hans Jonas, «Heidegger et la théologie», trad. Louis Evrard, *Esprit*, juillet-août 1988, p. 187.

Cette perspective ouvrirait une relecture critique du «tournant», faisant ressortir que le recul du *Schritt zurück* ne doit pas masquer ce qui n'est pas remis en question, mais au contraire constamment recouvert par le second Heidegger : qu'est-ce qui autorise la pensée à passer du transcendantal à l'historico-mondial ? quel prix doit-elle payer pour cette véritable transgression de la finitude ? quel type de prétention élève-t-elle, malgré l'apparente modestie de sa «rémission» de la métaphysique ? Autant de questions que notre propre itinéraire a déjà croisées et doit encore reprendre.

Pour l'heure, il est apparu que le recul heideggerien n'a pas été radical au point d'«autocritiquer» sa première ontologisation de la politique, puis son historialisme destinal. L'historialisme paralyse la rationalité politique, tout comme il suspend la rationalité en général. En devenant exclusive, l'historialité neutralise à la fois le champ politique et le possible rationnel : elle se bloque entre l'apolitique et «l'arationalité». Heidegger, si lucide à d'autres égards, n'a fait que renforcer cette limitation interne de sa pensée, cette prise de parti intime pour la finitude en son tranchant historial-destinal. Il ne faut pas méconnaître l'exceptionnelle densité de ce cercle obscur où l'être présuppose son historialité, sa temporalité collectivement assumée : ce foyer secret, c'est sans doute le caractère «ek-statique» du temps, que Heidegger veut retrouver dans l'époqual.

Mais, une chose est la prodigieuse plongée au cœur du temps, une autre l'irrépressible volonté d'unifier l'intelligence du réel — fût-elle hypothéquée par le retrait de l'être. L'une peut-elle aller sans l'autre ? Le différend de Heidegger avec la métaphysique (au sein même de son explication avec Nietzsche) peut-il être levé ? La métaphysique ne lâche pas si facilement les siens, s'il est vrai que Heidegger ne se contente jamais de la déconstruire, ne réussit jamais à la surmonter. Décidément, «nul ne peut sauter par-dessus son ombre»[45].

45. Voir Heidegger, *Einführung in die Metaphysik*, *op. cit.*, p. 152 ; *Introduction à la métaphysique*, *trad. cit.*, p. 213.

Chapitre 6
Césures

> Le plus grand défaut de la pénétration n'est pas de n'aller point jusqu'au but, c'est de le passer.
>
> La Rochefoucauld[1].

Le fil rouge qu'il faut maintenant reprendre, au risque de s'y brûler, n'est-ce pas le plus «gênant», le plus insupportable dans l'œuvre (et la vie) de Heidegger : son silence sur le génocide des Juifs ? Comment en parler en le pensant — ou en pensant son caractère impensable ? Ce silence, Philippe Lacoue-Labarthe ne l'affronte pas d'abord thématiquement dans *La fiction du politique*, mais c'est lui qui le tourmente et dont il va traquer finalement en note[2] le noyau injustifiable (le silence non devant le public, mais aussi et surtout devant Paul Celan). Cependant, ni le silence de Heidegger ni l'événement devant lequel il fait silence ne sont des fils qu'on peut aisément suivre, nouer, dénouer, etc. Tout au contraire, Auschwitz et le silence font césure. Auschwitz déjà par soi-même rompt non seulement avec tout humanisme, toute humanité, toute attache de la pensée à l'être, fait vaciller «le cœur sans tremblement de la vérité», désarme désormais le

1. La Rochefoucauld, *Maximes*, Paris, UGE, 1964, p. 109.
2. Philippe Lacoue-Labarthe, *La fiction du politique*, *op. cit.*, p. 63, n. 4.

courage envers tout ouvrage. Suivre un fil alors que tout se rompt ?

Pourtant, il y a bien un fil d'Ariane dans ce livre même et surtout s'il s'expose à cette brisure, même et surtout s'il conduit à une impossibilité (ou, comme la philosophie, à une possible impossibilité ?) : c'est la question éthique. Suivons-en d'abord l'évitement, le refus ou la dénégation. Ici la question devient des plus claires : au nom de quoi condamner Heidegger qu'il s'agisse de son adhésion de 33-34 (et de sa logique jamais démentie), de tel acte de «dénonciation» ou encore de son silence final et prolongé ? «Parler de *faute* suppose constituée, ou tout au moins possible, une éthique. Or il est probable aujourd'hui que ni l'une ni l'autre de ces conditions ne sont encore réalisées»[3]. Notons la prudence mais aussi le constat désillusionné : l'éthique est emportée dans «l'épuisement des possibles philosophiques» et son fondement même est peut-être à jamais ruiné. Tout se passe comme si l'éthique avait perdu, de l'intérieur, toute force contraignante et même toute légitimité. Mais le fond de cette destruction reste obscur et ne laisse à la clarté cruelle du jour que notre «être-démuni».

Tel est le premier angle sous lequel se laisse saisir la position de Lacoue-Labarthe : l'impossibilité, ou la suspension, de l'éthique. Laissons pour l'instant de côté la question de savoir si cette position est justifiable, ou plutôt à partir de quelles présuppositions elle se laisse déchiffrer, expliquer et peut-être soutenir. Acceptons-la provisoirement et voyons si elle est maintenue par Lacoue-Labarthe lui-même. La réponse ne fait pas de doute : évidemment négative. Déjà dans un précédent (et fort beau) livre[4], *La poésie comme expérience*, Lacoue-Labarthe affirmait que le silence sur l'extermination était «la faute irréparable de Heidegger» et ajoutait : «Cela est strictement *impardonnable*. Tel est ce qu'il fallait dire»[5]. Dans *La fiction du politique*, le jugement, moins ramassé, s'avère non moins sévère ; plusieurs épithètes le font entendre : accablant (à propos du «rapport» de Heidegger contre Baumgarten)[6], scandaleuse et intolé-

3. *Id.*, *ibid.*, p. 51.

4. *Id.*, *La poésie comme expérience*, Paris, Bourgois, 1986.

5. *Id.*, *ibid.*, pp. 167-168.

6. *Id.*, *La fiction...*, p. 53.

rable (à propos de la seule phrase de Heidegger où soient nommées les chambres à gaz)[7].

Condamnation de Heidegger, et en termes *moraux*. On ne qualifie pas une simple erreur, même une suite d'erreurs graves, de cette façon. Lacoue-Labarthe a bien expliqué, à cet égard, que l'engagement de 33-34 ne se réduisait nullement à une «erreur». Mais l'éthique est-elle réintroduite, alors qu'on venait d'en constater l'impossibilité ? Lacoue-Labarthe s'en défend, et de deux façons : à propos de l'adhésion au nazisme, celle-ci n'est criminelle — écrit-il — que sous l'angle politique[8]; en ce qui concerne le silence devant l'Extermination, celui-ci s'explique, en dernière instance, par une défaillance de la pensée elle-même : «Et c'est à la pensée de cet événement que Heidegger a manqué»[9].

Glissons sur la très forte connotation morale des épithètes appliquées plus haut à Heidegger et prenons Lacoue-Labarthe au mot : la «condamnation» (pourquoi ces inévitables guillemets ?) entend être prononcée à partir de deux instances : la première se veut politique, la seconde est la pensée elle-même.

Seule la seconde concerne essentiellement et intimement Heidegger. Sur ce point, il n'y a aucun désaccord entre Lacoue-Labarthe et nous : Heidegger partage le fait d'avoir été nazi avec des millions d'Allemands ; on ne saurait le lui imputer (personnellement) à crime. Et cependant, le nazisme est criminel : cela ne fait aucun doute, ni pour Lacoue-Labarthe ni pour nous. Où est donc l'objet du débat, où y a-t-il éventuellement litige ? Dans l'appel à la politique comme à une instance qui *suffise* à déclarer le nazisme criminel. Il ne s'agit pas de nier que le nazisme soit moralement et politiquement criminel. Il s'agit de savoir si l'on peut le déclarer tel *uniquement* à partir de critériums politiques.

Reprenons le triangle idéologique nazi : principe totalitaire de l'autorité absolue du *Führer*, nationalisme impérialiste, racisme à

7. *Id., ibid.*, p. 58.

8. «... être nazi était un crime. Ce langage, on peut le tenir politiquement et c'est personnellement celui que je tiens» (*Ibid.*, p. 53).

9. *Id., ibid.*, p. 59.

dominante antisémite. Nul ne peut contester que ce composé explosif (irrationnel, sinon fou) a donné des résultats politiques extrêmement efficaces, du moins durant quelques années. En termes *uniquement politiques* (ceux de la «politique cynique» que Kant a parfaitement caractérisés), Hitler a résorbé le chômage, relancé l'économie, rétabli l'ordre et redonné confiance à la grande majorité du peuple, obtenu des succès diplomatiques et militaires incroyables. Certes, toujours selon les mêmes termes d'une politique cynique, l'ampleur même de ces triomphes a précipité le régime dans une guerre mondiale qu'il n'a pas su ni pu gagner et la rançon en fut une catastrophe sans précédent ; l'application inconditionnelle du *Führerprinzip* a conduit, en particulier sur le front russe, à des décisions stratégiques aberrantes ; la persécution contre les Juifs a produit un «exode de cerveaux» qui a considérablement affaibli le potentiel scientifique de l'Allemagne, lors même que la course à la domination mondiale exigeait une mobilisation scientifico-technique sans précédent. La liste de ces carences ou de ces fautes politiques n'est pas close ; et l'on pourrait, à titre de jeu politique, imaginer ce qu'un Fréderic II ou un Bismarck auraient eu à dire sur (et à redire de) la politique nazie. Selon l'esprit d'une politique cynique, une grande question serait par exemple : comment Hitler sut-il faire preuve d'un machiavélisme confondant, sans pourtant être capable de mesurer les véritables enjeux géo-stratégiques mondiaux ? Mais le politique cynique sera-t-il conduit par un bilan critique de ce genre à condamner la politique nazie comme «criminelle» ? Uniquement si tel est son intérêt idéologique. C'est ce que comprit Staline, après la rupture par Hitler du pacte germano-soviétique.

Il ne faut donc pas se leurrer : la seule politique qui soit apte à démasquer le nazisme comme fondamentalement criminel est une politique qui s'impose de «ployer le genou» devant les principes éthiques. C'est bien une «certaine idée de la France» (ou de l'Occident) et c'est surtout une certaine idée de l'homme qui justifiait et même imposait la lutte contre Hitler. Même si celui-ci avait été infiniment plus malin et chanceux, même s'il l'avait emporté, il eût fallu susciter une résistance. Et sans nul doute, dans l'obscurité périlleuse de quelques catacombes, on eût témoigné de cette «autre idée».

L'objection suivante doit, par suite, être faite à Lacoue-Labarthe : la politique dont vous vous réclamez (et que j'approuve) ne peut éliminer toute référence éthique, faute de retomber dans le cynisme total (ou totalitaire) qui lui fait horreur. Et la meilleure preuve qu'elle ne le peut pas, c'est qu'elle ne le fait pas — même chez vous, même quand vous prétendez penser au-delà de l'éthique. Aucun jugement purement politique ne peut isoler *l'essence* de ce crime. Son irrationalité ? Son manque de mesure[10] ? Sa monstruosité même ? Cela n'est pas suffisant. On voit trop bien comment un régime raciste, comme en Afrique du Sud, peut être conduit sur les marches du génocide, en vertu de la même logique d'exclusion. On rétorquera que les Afrikanders sont plus raisonnables, plus calculateurs, partant moins criminels que ne le furent les nazis. C'est vrai ; mais c'est encore une fois insuffisant, car l'*apartheid* et le génocide procèdent de la même «logique» et violent également l'impératif éthique, au sens le plus pur et le plus kantien du terme.

Il n'y a, dès lors, plus d'échappatoire : ou bien, l'on maintient cet impératif, *volens nolens* ; ou bien, on ne le maintient plus du tout, on pense et on agit «par delà le bien et le mal» pour le meilleur (au sens du surhomme nietzschéen ?) ou pour le pire (au sens des auteurs de la «solution finale»).

Nous comprenons mieux maintenant que, tout en s'en défendant, Lacoue-Labarthe condamne bel et bien Heidegger au nom d'un impératif éthique ; et il n'est plus question de glisser encore sur les qualificatifs : ils sont significatifs et sans doute appropriés. Il est difficile de trouver un texte plus moralement rigoriste et éthiquement rigoureux que *La fiction du politique*. C'est une conclusion à laquelle une lecture sérieuse ne peut que parvenir et qui oblige à mettre en doute l'affirmation de Lacoue-Labarthe : «Je ne risque pas le mot *faute*, à propos de Heidegger, depuis la moindre certitude éthique»[11]. Avec ou sans certitude (ou plutôt : à un degré difficile à déterminer de certitude et d'incertitude), des

10. Voir la référence de Lacoue-Labarthe à la «démesure infinie» du nazisme (*ibid.*, p. 113).

11. *Id.*, *ibid.*, p. 52.

mots très durs ont été prononcés. Dire d'une attitude qu'elle fut impardonnable, franchir ce pas, est-ce concevable à partir d'une pure interrogation ? A cet égard, «l'épuisement des possibles philosophiques» s'est évaporé, s'il est vrai que l'éthique fait partie de ces possibles. L'éthique est plus que jamais vivante, puisque c'est elle, et elle seule, qui nous permet de juger Heidegger— et à beaucoup de le classer définitivement dans la catégorie des «salauds».

Lacoue-Labarthe procède avec infiniment plus de finesse et de scrupules, non sans faire jouer constamment la dénégation (en substance : « je ne fais pas le procès de Heidegger, mais son attitude a été accablante, impardonnable, etc.») et non sans utiliser le système du *double bind*. Tantôt ce dernier est consciemment et volontairement assumé (à propos de la philosophie : finie, mais indépassable)[12], tantôt Lacoue-Labarthe semble en être la victime plus ou moins résignée — justement à propos de l'éthique. De fait la double contrainte ne s'assume pas si facilement ; elle dénote une contradiction intenable et dont la relation au pathologique est constante. Question : le fonctionnement de la double contrainte éthique chez Lacoue-Labarthe est-il à porter au seul compte de celui-ci ou est-il l'index de *notre* situation impossible à cet égard ? La schizoïdie spirituelle-historique dont souffre l'Allemagne depuis le XVIIIe siècle[13] était déjà marquée d'un *double bind*. Le nôtre serait encore plus profond, car, débarrassés de la double contrainte d'une *mimesis* hellénocentrique se voulant cependant «congéniale», nous ne sommes pas fondamentalement affranchis du vouloir métaphysique et de sa monnaie éthique.

Poser la question, c'est déjà y répondre : le *double bind* nous est assigné par Lacoue-Labarthe et (nous allons le voir) à travers lui par Heidegger lui-même. Si nous sommes pris au piège (et constamnent floués), c'est en vertu d'une situation historiale a laquelle nous ne pouvons pas échapper et qui nous «césure».

12. *Id. ibid.*, p. 18.

13. Voir *ibid.*, pp. 121-122.

La césure de la pensée

Il faut maintenant s'interroger sur la seconde instance à partir de laquelle Heidegger est jugé : la pensée elle-même. Et c'est surtout à cet égard que la reprise du mot avancé par Heidegger lui-même (à propos de son attitude envers Husserl) : *Versagen* (défaillance, manquement) semble s'imposer. Heidegger a-t-il manqué à la pensée elle-même en n'affrontant pas Auschwitz et en se réfugiant dans le silence, même en la seule présence de Paul Celan ? De nouveau, la connotation éthique n'est pas absente ; elle est même très forte : «il était au fond du *devoir* de la pensée d'affronter cette chose-là»[14].

Nous voici devant le manquement essentiel, le plus propre à Heidegger, et «à jamais intolérable»[15]. Lacoue-Labarthe ne se contente pas de dénoncer cette défaillance : il en dessine les contours, en précisant ce que Heidegger n'a pas pensé et en suggérant ce qu'il *aurait dû dire*. Il aurait dû penser la «logique» spirituelle-historiale par laquelle Auschwitz révèle à l'Occident son essence impensable[16]. Il aurait dû (avoir le courage de) dire : «Dieu est mort à Auschwitz»[17].

Là encore, la reprise d'un mot à forte connotation morale (courage) réintroduit (du côté subjectif) cette exigence éthique qui s'impose comme devoir (au niveau objectif). Même quand Lacoue-Labarthe n'envisage que cette relation de la pensée à soi, où la contradiction est essentielle («La pensée doit penser contre elle-même» a écrit Heidegger)[18], il ne peut toujours pas congédier le souci éthique. Il n'y a pas lieu d'en être surpris ; mais cela confirme quel degré d'intrication atteint cette pensée en ses dénégations, en cette situation qu'elle qualifie elle-même d'«impossible».

L'argumentation franchit cependant un pas nouveau — capital —, quand se trouve avancée l'affirmation suivante : Heidegger

14. *Id.*, «La césure de la pensée», *Exercices de la patience*, 8, p. 193.

15. *Id.*, *ibid.*, p. 194.

16. *Id.*, *ibid.*

17. *Id.*, *La fiction...*, *op. cit.*, p. 63, n. 4.

18. Heidegger, *Aus der Erfahrung des denkens*, Pfullingen, Neske, 1954, p. 15 ; *Questions III*, Paris, Gallimard, 1966, p. 29.

aurait dû penser (et dire) que «l'Extermination est à l'égard de l'Occident la terrible révélation de son essence»[19]. Cette mise en demeure de la pensée heideggerienne se sait à jamais constat d'échec : Heidegger est mort et jamais son silence ne sera «rattrapé». Pour nous, cette «césure» du silence ne peut être que douleur[20], douleur d'une pensée qui — elle — doit assumer ce vide angoissant de la pensée.

Il n'y a lieu de marquer ici aucun désaccord, tant l'interrogation est essentielle et transgresse, cette fois-ci, incontestablement tout devoir-être au niveau de l'action ou du faire. Devant l'Extermination elle-même, les condamnations morales suffisent-elles ? Le silence de Heidegger ne fait que redoubler ou accuser le caractère impensable de cet «événement», *Ereignis* infernal, irrécupérable.

«Nous ne pensons pas encore»[21]: cette sentence de Heidegger assigne, en creux, une tâche à la pensée. Du moins peut-on délimiter l'impensable. Si nous tentons de le faire en reprenant les termes de Lacoue-Labarthe, nous constatons ce point capital : il s'agit de l'essence de l'Occident[22]; l'Extermination accomplit le nihilisme et, ce faisant, révèle à l'Occident sa propre essence. Sous-entendu : «C'est cela, au fond, que *voulait* la métaphysique ; c'est cela qui menait l'Esprit lui-même».

Il est évident que Heidegger hante encore cette interprétation : la métaphysique s'accomplit comme ce nihilisme que secrétait déjà le platonisme. Pensée de Nietzsche reprise et poussée à bout pour constituer l'ossature d'un schème ontologico-historial : la volonté de vérité se démasque comme volonté de mort[23]. Le déclin de la vérité de l'être ne peut que mener à l'errance sur la terre dévastée[24]. Extermination : autre nom du nihilisme en acte,

19. Lacoue-Labarthe, *La fiction...*, *op. cit.* p. 63.
20. Voir les dernières pages de *La poésie comme expérience*, *op. cit.*, pp 167-168.
21. Heidegger, *Was heisst denken ?*, Tübingen, Niemeyer, 1954, p. 3 *et passim ; Qu'appelle-t-on penser ?*, Paris, PUF, 1959, p. 22 *et passim.*
22. Lacoue-Labarthe écrit deux fois le mot «essence» ; «La césure de la pensée», *art. cit.*, p. 194, 196.
23. Voir Nietzsche, *Le gai savoir*, § 344.
24. Heidegger, *Vorträge und Aufsätze*, *op. cit.*, p. 72 sq. ; *Essais et conférences*, *trad. cit.*, p. 81 sq.

produisant l'usure de l'étant, la réduction de l'homme lui-même à une bête de labeur ou à un objet d'extermination.

C'est à ce point qu'est isolable simultanément l'accord et le dissentiment (ou le déplacement ?) entre Lacoue-Labarthe et la pensée de Heidegger. Accord total (nous semble-t-il) sur le schème ontologico-historial : à aucun moment, Lacoue-Labarthe ne met en doute la validité de cette interprétation du destin de l'Occident. Non seulement il y souscrit, mais il en accentue encore le caractère destinal (même en mode hégélien) par l'emploi si implacable et intentionnel (nous voulons le croire) du mot «essence». Pour penser l'histoire de l'Occident, Lacoue-Labarthe reprend donc strictement la pensée de Heidegger. Et il constate qu'elle l'a laissé démuni — et nous avec lui. Il noue cette situation en affirmant qu'on ne saurait revenir sur cet acquis (il le dit à propos du dépassement de l'éthique, mais cela ne peut pas ne pas s'appliquer à l'ensemble de la situation historiale de la philosophie).

L'immense question qui se repose ici est celle de l'interprétation époquale de l'Occident par Heidegger. Celui-ci se défend d'avoir voulu re-produire une philosophie de l'histoire selon le modèle hégélien : l'être se retire en se montrant et il fonde imprévisiblement un monde ; la nécessité et la rationalité intégrales sont abolies. Cependant, nous avons vu que ces dénégations ne sont pas convaincantes et que nous ne saurions nous en satisfaire[25]. La question doit être reposée : le schéma historico-mondial, même dédialectisé, même devenu «époqual», peut-il suffire ? Heidegger, en nous conduisant à une *historialisation* radicale de la question de l'être et donc de la tâche de la pensée, ne nous laisse-t-il pas encore plus démunis que nous ne devrions l'être ?

Lacoue-Labarthe ne répond pas à ce genre de question. Il en fige la possibilité, à vrai dire de la manière la plus ingénieuse : par l'introduction du concept de césure. Cette simple accentuation formelle (encore fortement heideggerienne, puisque puisée au cœur

25. Outre ce qui a été écrit à ce propos au chapitre précédent, voir Michel Haar, «Structures hégéliennes dans la pensée heideggerienne de l'histoire», *Revue de métaphysique et de morale*, janvier-mars 1980 ; Dominique Janicaud, «Heidegger-Hegel : un «dialogue»impossible ?», *Heidegger et l'idée de la phénoménologie*, Dordrecht, Kluwer, 1988, p. 158 sq.

de textes hölderliniens que seule la lecture de Heidegger a tirés de l'ombre) permet à Lacoue-Labarthe de combler le manquement de pensée qu'il impute à Heidegger : son silence sur Auschwitz, son incapacité (ou son refus) de penser l'Extermination. Est-ce là vraiment un dissentiment fondamental avec Heidegger ou seulement un déplacement de sa pensée historiale-destinale ?

Ingénieux, ce recours l'est d'abord parce que la «césure» semble rompre radicalement avec toute dialectique ; ensuite parce que c'est un concept qui «pense» une situation tragique ; enfin, parce que c'est un concept formel qui signale un vide : notre «être démuni» devant l'événement impensable de l'Extermination. Seulement, la relation de la logique de la césure à la dialectique est plus complexe qu'il n'y paraît : on transforme une logique de la contradiction en logique du paradoxe ; c'est, de Francfort à Hombourg, de la même méditation hölderlinienne sur le *diapherein* héraclitéen et l'*agôn* tragique que sont nées la dialectique et la pensée de la césure (cela ne signifie nullement qu'il faille les confondre, mais que leur conflictuelle proximité est aussi à penser). Situation tragique ? A coup sûr, celle de l'infini paradoxe de l'*agôn* réglé chez Sophocle, tel que les *Remarques* hölderliniennes le dégagent. Mais Auschwitz — question terrible — fut-il un «*agôn* réglé» ? Lacoue-Labarthe va au devant de l'objection : «Tout ce que je peux dire, c'est qu'Auschwitz relève d'un outre-tragique, à la fois plus et moins que tragique...»[26]. Hyperbolique et irreprésentable effectivement. La concession est parfaitement expliquée ; on en est d'autant plus autorisé à représenter l'objection : pourquoi le recours à un concept auquel cet événement (ou ce contre-événement) échappe d'outre en outre ? Il reste l'argument du caractère *formel* de cette accentuation répondant au «vide» d'un «événement pur»[27]: «Il n'y a césure que pour interrompre ou couper une tentative d'immédiateté (une démesure), c'est-à-dire une faute vis-à-vis de la Loi — historiale — de la finitude»[28]. L'admirable ellipse ne doit pas masquer ce qu'on a pos-

26. Lacoue-Labarthe, *La fiction...*, *op. cit.*, p. 72.

27. *Id.*, *ibid.*, p. 71.

28. *Id.*, *ibid.*

tulé (outre ce qui vient d'être rappelé : qu'Auschwitz soit un [pur] *en soi* pensable dans les termes d'un schème aussi subtil) : l'historialité elle-même et l'intégration en elle du nazisme (comme accomplissement du nihilisme). On est, semble-t-il, en droit de récuser ce postulat considérable. Loin de s'interroger sur ce point, Lacoue-Labarthe ne se cache pas de vouloir «élever la césure au rang d'un concept, si ce n'est du concept, de l'historicité»[29]. On ne saurait mieux dire : la césure rend l'historialité à nouveau présentable, pensable suivant la «logique» de l'infini paradoxe. Mais il faut voir à quel prix cette opération est réalisée : au prix d'une reconnaissance de la nécessité historiale de la «fiction» nazie du politique et au prix de sa «dignification» destinale. Lacoue-Labarthe est ainsi conduit a écrire ces lignes étranges : «Du point de vue même où je me place (il s'agit d'un débat avec la pensée heideggerienne de l'Histoire, mais *conduit dans les termes de cette pensée*), je ne vois pas quelle logique, autre que "spirituelle" et "historiale", préside à l'Extermination. Si l'on veut, l'Extermination relève d'une pure décision métaphysique, du reste inscrite au principe même de la doctrine nationale-socialiste»[30].

Comment ne pas avouer un profond malaise ? Malgré la parenthèse et malgré le rappel de l'évidence du racisme doctrinal nazi, malgré les guillemets, une logique est reconnue au génocide et en vertu d'une «pure décision métaphysique» (expression terriblement ambiguë : Hitler a-t-il pris cette décision ? Ou est-ce l'Occident ? Mais s'agit-il alors d'une décision, même pure ?).

A se vouloir plus heideggerien que Heidegger, on se livre à une périlleuse enchère destinale : on ennoblit historialement (malgré soi) une horreur qui doit sans doute rester sans nom et garder tout le poids de son absurdité criminelle. Si «national-esthétisme» il y eut, il ne fut jamais qu'un alibi du national-socialisme. Et même aux yeux de Heidegger, la «vérité interne» du «mouvement» ne réside pas dans son goût de l'organique, du monumental, etc. (Heidegger n'est pas winckelmannien), mais dans un possible historial qui est à déchiffrer beaucoup plus du côté du lien hölder-

29. *Id., ibid.*

30. *Id., ibid.*, p. 75.

linien entre la germanité (comme vocation) et le sacré. La «répétition» heideggerienne n'est plus du tout esthète. Le «national-esthétisme» n'aurait donc tout au plus qu'une «vérité externe».

Les choses deviennent plus claires : en accusant Heidegger de ne pas être allé jusqu'à la reconnaissance de l'Extermination comme césure, Lacoue-Labarthe accuse effectivement les traits intolérables de l'historialisme destinal. Il propose l'interprétation que Heidegger *aurait dû* donner pour que sa cohérence fût complète, c'est-à-dire pour qu'apparussent à la fois la «vérité» du national-socialisme comme national-esthétisme et la double contrainte métaphysico-éthique de notre «être démuni».

De nouveau, on est en droit de s'interroger : Heidegger doit-il conduire jusque-là ? Le silence n'est-il pas préférable ? Ou bien, si on le rompt, ne doit-on pas remettre radicalement en cause l'enchaînement exclusif de la pensée à un destin qui est peut-être en partie le produit de sa fiction ?

S'il y a fiction dans le privilège hyperbolique donné par Heidegger à Hölderlin, en prend-on vraiment la mesure au moyen d'une étiquette telle que «national-esthétisme» ? Chez Heidegger, la dimension esthétique n'est jamais isolée ni de l'être ni du divin : son autonomisation est un trait de la modernité, que Heidegger délimite et critique. Ce qui bien plutôt oriente de l'intérieur la pensée heideggerienne (lors même qu'elle se détache du militantisme), c'est l'aimantation théologique du politique. On voudrait le montrer en pénétrant au cœur de ce qui fut appelé précédemment, parfois trop hâtivement, «l'idéal» hölderlinien : le thème du «dieu qui vient» (expression qui court au travers des *Beiträge*) va y conduire.

Le «dieu qui vient»

L'historialisme destinal a deux faces : l'effectivité et l'avenir réservé. La compréhension que nous en avons serait incomplète et en quelque sorte décapitée, si nous ne prenions pas en vue la pensée ultime et la plus secrète qui le meût de l'intérieur : l'attente du dieu. Le lien de ce thème avec la question politique paraît, de prime abord, inexistant. Un examen plus attentif révèle, au contraire, qu'il s'agit de la pensée fondamentale, qui conduit la méditation renouvelée sur le temps ainsi que sur l'historialité du peuple allemand et de l'Occident tout entier.

La richesse des implications ainsi dégagées est telle que c'est l'ensemble de l'itinéraire spirituel de Heidegger qu'il faudrait reprendre en vue, depuis les premières études théologiques, puis la rupture avec le «*système* du catholicisme»[31], jusqu'à l'ambiguïté définitivement gravée sur la tombe : cette petite étoile qui fait signe vers un «dieu plus divin». Faudrait-il donc écrire le traité théologico-politique que Heidegger s'est refusé à consigner ? La vérité est moins formellement accessible : l'osmose théologico-politique anime si puissamment la pensée heideggerienne qu'elle irrigue littéralement les textes les plus personnels. Pour Heidegger, c'est à partir du sacré qu'il faut penser le séjour humain et fonder l'être-ensemble. Si ce sacré se retire et se réserve, les conditions de déploiement de la communauté n'en seront-elles pas comme suspendues ? C'était l'inverse chez Spinoza : la vie dans une cité harmonieuse s'articulait à partir du principe de la liberté (humaine) de penser. La liaison directe et positive entre le politique et le théologique ne pouvait être que rationnelle. Tout différemment, la présupposition heideggerienne est que le ciment de cette rationalité est métaphysique, c'est-à-dire lui-même délimité par l'histoire de l'être. Que cette «évidence» qui s'est imposée à lui soit celle de l'historialisme destinal, que son caractère inconditionnel soit désormais, pour nous, à remettre radicalement en doute, autant de certitudes nouvelles que nous nous permettons déjà de considérer comme des acquis de cette recherche.

Il faut cependant, le plus brièvement possible, marquer comment s'articulent trois thèmes (qui, de successifs sous un certain angle, deviennent, en fait, constitutifs de la pensée de Heidegger) : le «renvoi» du christianisme, la mort de Dieu, l'attente du dieu. Peut-être cette mise en relation jettera-t-elle une lumière assez crue sur l'a-politique de Heidegger.

31. Voir Hugo Ott, *Martin Heidegger...*, *op. cit.*, p. 106 sq.

La distance prise à l'égard du christianisme se manifeste d'abord comme un renvoi de ce dernier à lui-même, autrement dit comme une purification réciproque de la philosophie et de la théologie chrétienne. Cette position, clairement formulée dans *Phénoménologie et théologie*[32], est formellement maintenue jusqu'au bout ; mais son contenu réel change profondément. Alors que, dans cette conférence (tout comme dans de discrètes notations d'*Etre et temps*)[33], le philosophe s'en tient au strict respect de la spécificité des tâches phénoménologiques et herméneutiques, un élément décisivement neuf intervient avec la venue au premier plan du thème de la mort de Dieu.

L'interprétation (d'abord implicite) donnée au mot de Nietzsche est, en effet, une intrusion manifeste dans le champ théologique, mais c'est en même temps une dénégation historiale-destinale de cette intrusion : non seulement Heidegger prétend ne pas «faire de théologie», mais il affirme que c'est une nécessité inscrite dans l'époque même qui lui interdit toute réappropriation explicite du christianisme. Avant même qu'il ne révèle à ses étudiants (dans ses cours sur Hölderlin en 1934-35) dans quelle direction il cherchait désormais le divin, Heidegger avait prononcé ces mots lourds de sens, dans le *Discours de Rectorat* : «Et si justement notre existence la plus propre se trouve elle-même devant une grande mutation, s'il est vrai ce mot du dernier philosophe allemand qui ait cherché le dieu avec passion, Frédéric Nietzsche : «Dieu est mort» — si nous devons prendre au sérieux cet abandon de l'homme d'aujourd'hui au milieu de l'étant, qu'en est-il alors de la science ?»[34]. L'allusion à Nietzsche dans cette circonstance n'a rien de rhétorique : sa signification se déploie à la lumière des cours ultérieurs sur l'auteur du *Zarathoustra*, mais aussi à partir de cette explication qui date de 1945 : «*Dieu est mort*. Cette phrase, je l'ai citée dans mon Discours de Rectorat, et pour des raisons essentielles. Elle n'a rien à voir avec l'affirmation d'un

32. Heidegger, *Phänomenologie und Theologie*, Frankfurt, Klostermann, 1970, p. 15 sq.

33. Heidegger, *Sein und Zeit*, *op. cit.*, pp. 190 (n. 1), 229, 235, 306 (n. 1).

34. *Id.*, *Discours de Rectorat*, *op. cit.*, trad. Granel modifiée, p. 12.

athéisme ordinaire. Elle signifie : le monde suprasensible, en particulier le monde du Dieu chrétien, a perdu toute force agissante dans l'histoire»[35]. Heidegger renvoie alors également à sa conférence de 1943 sur le mot de Nietzsche[36].

Ce type d'affirmation portant sur la mort historiale de Dieu est redoutablement «noué». Une telle proclamation agit sur le lecteur ou l'auditeur avec d'autant plus d'efficacité qu'elle a une vérité brutale et incontestable ; l'époque est rien moins que chrétienne. Nietzsche n'a-t-il pas isolé, avec la volonté de puissance, le nerf de la modernité technicienne ? Adorno signale la même vérité fondamentale, quand il écrit que : «La fabrication industrielle du pain qui a transformé notre prière : "Donne-nous notre pain quotidien" en simple métaphore en même temps qu'en un aveu de désespoir, démontre bien plus l'impossibilité du christianisme que toutes les critiques éclairées de la vie de Jésus»[37].

Malgré cette concession, une question demeure : s'il est vrai que le message du Christ a été une «force agissante dans l'histoire» et ne l'est plus, doit-il être mesuré uniquement en ces termes d'effets historiaux ? Le tarissement historique ou historial du christianisme doit-il faire inférer que toute ressource spirituelle en est désormais absente ? Pourtant, si le témoignage du Christ ne pouvait que rester étranger à César et aux siens, ne demeure-t-il pas en lui une vérité trans-époquale ? La feinte très habile de Heidegger à l'égard du christianisme consiste à le prendre en défaut sur le terrain où l'Eglise s'est laissée entraîner : l'histoire et la politique — et à le disqualifier sous ce prétexte. Disqualification par mise «hors jeu» : dans la quête du sacré, il ne sera plus question de ce qui faisait le sel de l'Evangile, la charité ; dans la Quadrature où se donnera la chose, le divin ne sera plus incarné et n'aura pas de visage (les Divins sont à distance des hommes,

35. «Le rectorat 1933-34. Faits et réflexions», *Le Débat*, n° 27, novembre 1983, p. 77.

36. Voir Heidegger, *Hölzwege*, Frankfurt, Klostermann, 1957, p. 193, 247 ; trad. fr., *Chemins qui ne mènent nulle part*, nouvelle éd., Paris, Gallimard, 1988, pp. 253-322.

37. Theodor W. Adorno, *Minima moralia. Réflexions sur la vie mutilée*, trad. E. Kaufholz et J.-R. Ladmiral, Paris, Payot, 1983, § 72, p. 106.

d'une manière bien plus homérique que chrétienne — et pourtant sans la consistance personnelle des dieux grecs) ; et si le sacré se donne dans une parole finie, ce n'est point pour renvoyer vers ce qui transcende la finitude. Un signe supplémentaire ne saurait laisser indifférent : en lisant Hölderlin, Heidegger gomme systématiquement les aspirations encore si christiques de l'auteur de *Patmos*. La fraternité du Christ avec Héraklès et Dionysos devient un prétexte pour l'helléniser, alors que le texte hölderlinien appelle aussi la démarche inverse : l'accueil, par l'esprit grec, de la tendresse de Jésus.

Là encore, la démarche heideggerienne n'est pas innocente (ce qui ne veut pas dire qu'elle ne soit pas respectable) : un congé de fait est donné à la spiritualité chrétienne, sous prétexte de sa disqualification historiale. Tel est le volet négatif. Ce qu'il entraîne est énorme : l'adieu, d'un seul coup, à toute loi, à toute dogmatique, à tout culte, à tout espoir de rédemption. La question ici n'est pas de savoir si Heidegger a «raison», mais à décomposer une opération subtile, dont l'inspiration — comme Hans Jonas l'a souligné[38] — n'a plus rien d'essentiellement chrétien.

Il faut se rendre à l'évidence : le dieu qui nous «manque» et dont l'attente est notre lot est lui-même fini ; il est porté par une histoire qui se réserve — et qui le réserve à un peuple. Cette finité (et son enracinement populaire) est presque obsessionnelle dans les cours sur Hölderlin, mais elle est encore plus présente dans les *Beiträge* où nous lisons, par exemple, que «la plus intime finité de l'être (*Seyn*)» se dévoile dans le signe (*Wink*) du «dernier dieu»[39]. *Wink* devrait presque être traduit par «clin d'œil», tant son apparition semble être liée à «l'instant essentiel» ou à «l'instant historial»[40]. Quant au peuple, il n'a plus, dans les *Beiträge*, les caractères d'immédiateté et magnétique présence des années 33-34 : «L'essence du peuple est sa «voix» (*Stimme*) ; cette tonalité *ne*

38. Hans Jonas, «Heidegger et la théologie», trad. Louis Evrard, *Esprit*, juillet-août 1988, pp. 182-184.

39. Heidegger, *Gesamtausgabe*, 65, *Beiträge zur Philosophie (Vom Ereignis)*, p. 410.

40. *Id.*, *ibid.*, p. 98.

parle justement *pas* dans l'épanchement prétendûment immédiat du «on» commun-naturel, ni formé ni cultivé ; car cette masse ainsi interpellée est déjà très façonnée et déformée : elle ne se meût plus, depuis longtemps, dans les relations originaires à l'étant. La voix du peuple ne parle que rarement et seulement chez un petit nombre, si tant est qu'on puisse encore la laisser retentir»[41].

Cette réserve à l'égard du tout-venant politique des dernières années du régime est nette ; mais force est de constater qu'elle est restée, pour l'essentiel, tout à fait privée. D'autre part, après 1945, Heidegger n'a rien changé à son attente d'un «dieu plus divin», dont ni la philosophie ni les Eglises ne sauraient être les annonciatrices[42], mais que seule la poésie de Hölderlin signale et prépare.

Cette intime conviction de Heidegger n'est jamais aussi nettement affirmée que dans la lettre à Kästner, datant de Noël 1963 : «Le reconnaîtrons-nous une bonne fois ? La poésie de Hölderlin est pour nous un destin. Elle attend que les mortels lui correspondent. Que dit-elle ? Sa parole est le Sacré. Elle dit la fuite des dieux. Elle dit que les dieux enfuis nous ménagent (*schonen*). Jusqu'à ce que nous soyons disposés et en mesure d'habiter dans leur proximité. Ce lieu est le plus intime de la patrie. C'est pourquoi il demeure nécessaire de préparer le séjour en cette proximité. Ainsi accomplirons-nous le premier pas sur le chemin qui nous conduit là où nous répondrons destinalement au destin qu'est la poésie de Hölderlin. Nous atteindrons par là seulement le site préalable où apparaîtra peut-être «le Dieu des dieux»»[43].

Cette réaffirmation montre bien qu'il est vain de vouloir doter la «théologie» heideggerienne d'un «contenu» positif qu'elle ne cesse de récuser, n'acceptant même pas de laisser se dessiner — au-delà du Dionysos nietzschéen — le visage du Christ hölderlinien. L'élément fondamental et décisif est repris sans le moindre doute, sans une once d'hésitation, encore moins d'ironie : le

41. *Id.*, *ibid.*, p. 319.

42. Voir *id.*, *Identität und Differenz*, Pfullingen, Neske, 1957, pp. 70-71.

43. Heidegger-Kästner, *Briefwechsel*, *op. cit.*, p. 59.

caractère destinal de la poésie de Hölderlin et l'assignation de sa mission historique mondiale (car elle est dite seule apte à préparer *eine Wende*, un tournant, dans la situation actuelle).

Ce qui demeure extraordinairement singulier dans cette démarche têtue : faire d'un anti-prophète un prophète (quel poète fut plus pudique, à cet égard, que Hölderlin ?) ; inverser son extrême retrait de toute positivité en une eschatologie d'autant plus pure que sa venue est moins déterminée ; faire se rejoindre de manière inquestionnée la voie philosophique des prolégomènes incessamment reprises et l'attente religieuse de l'Evénement ; par cette orientation radicale vers l'avenir, allier un messianisme très moderne (un divin lui-même fini, porté par le temps, l'attente d'un «tournant» : espoirs littéralement révolutionnaires) avec un sens du sacré tourné — en-deçà ou au-delà des dieux grecs — vers l'immémorial.

Il n'est pas interdit de discerner, avec Jaspers[44], dans cette singularité elle-même, une «affinité» avec certains traits nationaux-socialistes : en l'occurrence, l'insolite alliance de l'archaïque et de l'ultra-moderne, le *pathos* d'une religiosité nouvelle (sans compter celui du «sacrifice» qui affleure encore dans les *Beiträge)* ; mais il faut lire *Le mythe du XXe siècle* pour constater à quel point Heidegger est éloigné — malgré une admiration commune envers Eckhart et Luther — de la vulgarité de Rosenberg et de sa «religion du sang»[45]. Du strict point de vue méthodologique, cette incursion jusqu'au dernier anneau, théologique, de la pensée de Heidegger enseigne que tout est lié chez celui-ci : de même que l'entreprise déconstructrice d'*Etre et temps* voit son fondamentalisme (indifférent à toute politique positive) happé par le sens d'une temporalité essentiellement «ek-statique», ainsi la «politique privée» de Heidegger s'éclaire à partir de la théologisation (elle-même ek-statique) d'une grande poésie. Le manque de mesure qui déportait déjà les derniers paragraphes d'*Etre et temps*

44. Voir sa lettre à Oehlker du 22. XII. 1945, citée par Hugo Ott, *Martin Heidegger..., op. cit.*, pp. 316-317.

45. Voir Alfred Rosenberg, *Der Mythus des 20. Jahrhunderts. Eine Wertung der seelisch-geistigen gestaltenkämpfe unserer Zeit*, München, Hoheneichen-Verlag, 1942, pp. 614-621.

vers l'héroïsme de l'«appropriation décidée» jusqu'au sacrifice[46], se déplace — tout en se confirmant — dans le caractère inconditionnel d'une pensée de l'histoire qui croit pouvoir compenser sa fragilité grâce au surplomb procuré par une magnifique parole, excessivement sollicitée. La phénoménologie a été sacrifiée a son «possible» historial, mais celui-ci est désormais orienté par une «décision» destinale.

La méprise théologico-politique

Si le manque du dieu est notre lot, la politique au sens le plus haut nous est également soustraite. Double manque qui devait logiquement imposer ce retrait complet de la sphère publique et politique auquel Heidegger a finalement été conduit dans les trente dernières années de sa vie. Jamais — même dans les cours de 1934-35 — le Sacré au sens hölderlinien ne vient garantir ni aménager le présent. Il est appel historial et destinal à un peuple dont la vocation est encore en attente.

Ce qui sauve ce lien éthico-politique négatif du pur formalisme (mais, hélas, non du statut ambigu de caution spirituelle), c'est la parole poétique, le message de Hölderlin promu au rang privilégié de porte-parole du Sacré réservé aux Allemands. Geste singulier, équivalent d'une «foi» personnelle jamais reniée et dont la justification ultime paraît indicible. Geste résumé au début du §15 du cours sur *Le Rhin*, où il est affirmé que le choix de Hölderlin est une «décision historiale» et — prêtons-y attention — que ce choix est hautement politique : «Parce que Hölderlin est cette réserve et cette difficulté, poète du poète en tant que poète des Allemands, il n'est pas encore devenu puissance dans l'histoire de notre peuple. Et comme il ne l'est pas encore, il faut qu'il le devienne. Y contribuer est de la "politique" au sens le plus haut et le plus propre, à tel point que celui qui effectue ici quelque chose n'a pas besoin de discourir sur le "politique"»[47]. Discours à

46. Voir Heidegger, *Sein und Zeit*, *op. cit.*, p. 391.

47. *Id.*, *Gesamtausgabe*, 39, p. 214 ; trad. fr. légèrement modifiée, *Les hymnes de Hölderlin...*, p. 198.

double tranchant : tout en se démarquant du nazisme officiel[48], il ne peut en aucune façon échapper à l'intime blessure qu'il s'inflige en se plaçant dans la même direction que l'orientation nationale-socialiste (même s'il prétend lui donner le ton). Cette attitude hautaine de disjonction du politique nous est désormais familière : nous avons fait sa connaissance dans le *Discours de Rectorat* où elle consistait à spiritualiser le national-socialisme, tout en écartant son biologisme brutal et ses mises au pas vulgaires. «Stratégie retorse» a suggéré Jacques Derrida, avec une subtilité où nous ne voyons nul «sauvetage» de Heidegger[49]. Insolite «sauvetage».

48. Puisqu'en 1935 la parole de Hölderlin est dite encore impuissante ; voir aussi les critiques contre Rosenberg et le biologisme : *Gesamtausgabe*, 39, pp. 26-27.

49. Expression de Luc Ferry et Alain Renaut dans *Heidegger et les modernes*, Paris, Grasset, 1988, p. 108. Ferry et Renaut voient bien l'ambivalence (maintenue) de la pensée de Heidegger à l'égard du national-socialisme (entre l'acceptation de son «nihilisme actif» et la préparation d'une autre relation à l'essence de la technique). Ils concèdent qu'il s'agit là d'un «rapport complexe». Mais, comme ils ont préalablement mis entre parenthèses la question de la métaphysique, ils ne peuvent rapporter cette ambiguïté (ou cette équivoque) qu'aux apories d'une réaction *anti-moderne* (et anti-humaniste). La pensée de Heidegger, si critiquable que soit son historialisme destinal exclusif, devient strictement incompréhensible, si sa relation à l'histoire de l'être est limitée à l'horizon moderne et à une *réaction* contre le moderne : il y a, pour Heidegger, une unité (onto-théologique) de l'envoi métaphysique ; l'envoi époqual cartésien-moderne est aussi (et peut-être avant tout) celui de la calculabilité totale. Ferry et Renaut atténuent considérablement l'importance de l'interprétation heideggerienne de la mathématisation de la nature, où s'identifie un trait fondamental du dynamisme moderne (qui s'accentue, qu'on le déplore ou non, dans la volonté de puissance nietzschéenne). Par sa critique de la subjectivité et sa déconstruction de la métaphysique de la maîtrise (calculante) intégrale de la nature, Heidegger entend produire une interprétation *transmoderne*. Y réussit-il vraiment ? Nous ne le croyons pas ; mais le scepticisme sur ce point ne justifie pas qu'on neutralise littéralement tout un acquis herméneutique à travers lequel la modernité se comprend comme l'instauration perpétuelle du Neuf, et qu'on réduise la modernité à l'institution des droits de l'homme (ce qu'elle n'est que bien après Descartes et à un niveau politico-éthique qui n'est pas le seul angle sous lequel on puisse la juger). Ferry et Renaut sentent, d'ailleurs, qu'à se raidir dans une défense inconditionnelle de la démocratie, ils risquent de méconnaître le rôle capital que la critique doit sans cesse y jouer (y compris la critique contre les faiblesses de la démocratie) — ce qui fait toute la fragilité et la grandeur de ce beau risque. Bien que d'accord avec eux sur le fait que Heidegger méconnaisse les possibilités de la société démocratique, nous croyons cependant qu'ils risquent de tomber dans le défaut inverse de celui du Maître : alors qu'il a excessivement ontonlogisé la politique, ils s'empressent de politiser l'ontologie.

Relisons plutôt *De l'esprit* : «Si son programme paraît diabolique, c'est que, *sans qu'il y ait là rien de fortuit*, il capitalise le pire, à savoir les deux maux à la fois : la caution au nazisme et le geste encore métaphysique»[50]. Non seulement la terminologie et le projet du salut (ou de la préservation) sont — ici comme ailleurs — étrangers à Derrida, mais il expose entièrement Heidegger à la déconstruction. Il est difficile de trouver des lignes plus accusatrices, au sens où une lumière crue ne laisse rien dans l'ombre. Cette lumière n'atténue pas la responsabilité de l'engagement nazi sous prétexte qu'elle en démontre la duplicité.

Duplicité ? Naïveté ? Indécidabilité ? La captation du legs hölderlinien n'est peut-être qualifiable que comme *Unglück*[51]. Elle peut être suivie dans tous les cours consacrés au poète. On en isolera un passage particulièrement «sensible» du cours sur *Le Rhin* avant d'en tirer les conséquences en méditant sur l'aimantation théologique (et politique) dans le cours sur *L'Ister*.

Voici cette phrase dont la sidérante singularité doit être éclairée à la lumière du contexte du cours sur l'hymne *Le Rhin* : «Le vrai et chaque fois unique Guide (*Führer*) fait incontestablement signe, en son être, vers le domaine des demi-dieux»[52].

Il n'est pas indifférent que l'objet du paragraphe où s'insère cette courte phrase soit une mise au point théologique : il vient d'être question du fragment, *L'Unique*, où Hölderlin fait état du «manque» que trahit l'attachement exclusif au Christ. Le titre du sous-paragraphe indique le sens général de ces quelques pages : «Chez les demi-dieux, le manque provient de la richesse».

Maintenant, c'est aux demi-dieux que je songe
Et il faut qu'une connaissance me soit donnée

50. Jacques Derrida, *De l'esprit*, Paris, Galilée, 1987, p. 66.

51. Expression de Max Kommerell à la fin de sa lettre à Heidegger du 29 juillet 1942 : voir *Philosophie*, n° 16, p. 14. La traduction proposée par Marc Crépon («désastre») est, de son aveu même, un peu excessive. «Infortune» aurait l'avantage d'être littérale et de faire entendre le sens destinal de cette adversité.

52. Heidegger, *Gesamtausgabe*, 39, p. 210 ; *Les hymnes de Hölderlin*, trad. cit., p. 194.

De ces êtres sans prix, puisque leur vie
Fait battre si souvent mon cœur plein de désir[53].

Si le demi-dieu, médiateur entre les dieux et les hommes, est d'abord le fleuve lui-même, Hölderlin entend aussi honorer Dionysos et, parmi les hommes, celui que son héroïsme et sa pureté distinguent absolument : Rousseau. Heidegger fait effectivement de la thématique du demi-dieu le fil conducteur de son commentaire, où se détache la figure du dieu du vin, porteur de lierre : «Dionysos n'est pas seulement un demi-dieu parmi les autres, mais le demi-dieu par excellence»[54]. Mais il minimise considérablement l'importance de Rousseau auquel le poème fait pourtant une très large place[55]. Surtout, il sollicite «la voix du peuple noble des fleuves» en la transformant en parole annonciatrice et instauratrice d'une nouvelle expérience ontologique et historiale, renouvelant la relation à la vérité et métamorphosant même l'essence du travail[56]. A partir de cette opération (présentée comme «décision historiale»), Heidegger poursuit une «répartition des rôles» engagée dès le cours sur *La Germanie*[57]: poète, penseur, créateur d'Etat sont les trois formes créatrices du *Dasein* historial[58]. Ce qui fait l'unité de cette tripartition des tâches destinales, c'est toujours le savoir, comme dans le *Discours de Rectorat*, mais de telle façon que le rôle de chacun des créateurs reste ouvert : après avoir remarqué qu'il n'y a ni *Dasein* purement poétique, ni purement pensant, ni purement agissant, Heidegger précise qu'il s'agira «d'éprouver le secret de leur coappartenance originelle, afin de les configurer originalement en une conjonction nouvelle et jusqu'ici inouïe de l'être»[59].

53. Hölderlin, *Le Rhin*, strophe X, trad. G. Roud (*Œuvres*, Bibliothèque de la Pléiade, p. 853).
54. Heidegger, *Gesamtausgabe*, 39, p. 189.
55. *Id., ibid.*, p. 278 ; *Les hymnes…, trad. cit.*, p. 255.
56. *Id., ibid.*, p. 196.
57. Mais où il se réfère aussi (p. 20) à la fin du 2ème vol. d'*Hypérion*.
58. Heidegger, *Gesamtausgabe*, 39, p. 51, 144.
59. *Id., ibid.*, pp. 184-185.

C'est donc un enrobement théologico-politique très singulier qui permet à Heidegger d'accorder au *Führer* une caution inouïe dans le cadre d'une polémique théologique anti-catholique. Au début du paragraphe en question, Heidegger s'élève d'une part contre l'exploitation chrétienne du message hölderlinien, d'autre part contre le fait de parler du Christ comme le seul véritable *Führer* (thème discrètement oppositionnel de certains prêtres catholiques se référant vraisemblablement au Christ-Roi). Parler du Christ comme d'un *Führer* est un «blasphème», dit Heidegger, tout en élevant lui-même le Guide «vers le domaine des demi-dieux». La mise au point qui suit atténue-t-elle l'énormité de l'apothéose ? «Etre un Guide (*Führer*) est un destin et, par conséquent, un être fini»[60]. Argumentation littéralement renversante, puisqu'elle prétend se donner le «beau rôle» de respecter la finitude, tout en renvoyant les adversaires catholiques au non-respect de l'orthodoxie définie par le Concile de Nicée (le Christ est *consubstantialis Patri*). Il faut en prendre acte : en 1934, Heidegger place l'être du *Führer* dans l'axe d'une mission poétique et sacrée dont le penseur se fait lui-même le médiateur en déposant les hymnes de Hölderlin sur l'autel de la Germanie et en dégageant leur destination historiale. Même si ce message théologico-politico-poétique va dans un sens non raciste et non nihiliste, on ne peut nier qu'il prétende réorienter un «mouvement», dont les déterminations effectives sont assumées (y compris quand elles dévient jusqu'au «fumier»)[61].

Se pensant au plus proche de l'être, le penseur montre une voie ; n'étant pas suivi ni compris, il devrait rebrousser chemin ou briser tout lien avec la masse dévoyée et surtout avec ses meneurs ; au contraire, il persiste à montrer seul ce qu'il croit être la «bonne direction» et à prétendre qu'elle est la «vérité» réservée aux autres, qui n'en ont cure. La mission du penseur n'est-elle césurée que par le Sacré et aucun compte n'est-il à rendre aux hommes du

60. *Id., ibid.*, p. 210.

61. Cette allusion à l'inévitable fumier dans la cour d'une ferme à propos des déviations de la «science organiquement populaire» se trouve à la p. 42 du cours sur *Le Rhin* (*Gesamtausgabe*, 39).

troupeau ? Il reste à isoler le ressort de cette attitude déconcertante.

C'est dans la seconde partie du cours sur *L'Ister* (datant de 1942) que se nouent le plus significativement les thèmes précédemment isolés : l'historialisme destinal inconditionnel et l'aimantation théologique du politique[62]. L'historialisme destinal y est offert moins du côté de l'effectivité que sous sa face réservée : le ressort destinal lui-même. La fragilité de cette percée n'empêche pas Heidegger de parler de «la loi de l'histoire» (cachée derrière sa «façade») et d'expliquer, conformément à ce qu'il croit être la mimétique hölderlinienne : «la loi de l'histoire place l'humanité historiale dans une manière d'être selon laquelle le plus propre est le plus lointain et le chemin vers le plus propre, le plus long et le plus difficile»[63]. Cette expression d'«humanité historiale» mérite quelque attention : l'historialité recueille et pense «l'essence de l'humanité occidentale»[64], en contraste brutal avec l'américanisme qui, non dénué d'histoire (comme les choses de la nature), est cependant réputé «non historial»[65]. Quelle est donc l'humanité véritablement historiale ? La thématique antérieure du cours sur *L'Ister* permet de répondre : l'humanité qui affronte l'essence de l'homme comme le plus inquiétant de l'inquiétant (*das Unheimlichste des Unheimlichen* : voir §10). Se référant au «dialogue» poétique entre Hölderlin et Sophocle, Heidegger reprend sa lecture du début du chœur d'*Antigone* : le *deinon* est suprêmement angoissant, mais c'est aussi ce qui mérite d'éveiller la «plus respectable pudeur»[66].

Il importe ici de surprendre le passage opéré par Heidegger entre cette «redéfinition» de l'homme et la disjonction de l'espace

62. A vrai dire, il vaudrait mieux parler ici de «théophanie» que de théologie : l'accès au divin ne se fait ni par une logique dogmatique ni par le *logos* en général.

63. Heidegger, *Gesamtausgabe*, 53, p. 179.

64. *Id.*, *ibid.*, p. 51.

65. Le mot *nihilisme* n'est pas prononcé, car il ne s'agit même pas d'un nihilisme lucidement assumé (voir *ibid.*, p. 179).

66. Heidegger, *Gesamtausgabe*, 53, p. 77.

politique : sur-expert/démuni, surpolitique/a-politique, l'«homme historial», transgresse, comme Antigone, le champ quotidien et déterminé des affaires de l'Etat. L'essence de la *Polis*, précise alors Heidegger, n'est ni l'Etat ni la Cité (ni *Staat* ni *Stadt*), mais «le *polos*, le pôle, l'axe tourbillonnant (*der Wirbel*), dans lequel et autour duquel tout se meût»[67]. Double récusation de l'essence rationnelle (et métaphysique) de l'homme, de la science politique déterminée et positive au sens platonico-aristotélicien[68]. Le rejet de l'humanité (rationnelle) de l'homme entraîne directement le reflux du politique vers une politique ontologique-originaire ou l'essence (inquiétante) de l'homme devient l'axe de tout séjour.

Cette démarche surprend moins par ses hautaines disjonctions — qui nous sont devenues familières au fil des pages — qu'en ce qu'elle suspend : une méditation scrupuleuse sur l'historialité. Alors que le fil de celle-ci sera ressaisi dans les années 50-60, en 1942 Heidegger affirme brutalement que l'homme historial est celui qui a le plus le sens du «séjour» germanique : il faut penser «plus grec que les Grecs» et «plus germaniquement que les Allemands ne l'ont fait jusqu'ici»[69]. L'histoire n'est-elle pas ainsi traversée de part en part et transgressée avec superbe ? La redéfinition «inquiétante» de l'homme n'aboutit-elle pas paradoxalement à une fixation sur le «séjour», laquelle n'est historiale que par son caractère «réactif» à l'égard de la définition traditionnelle de l'homme comme animal rationnel ? «L'essentiel dans l'être humain historial repose dans la relation polaire de tout sur le lieu du séjour, c'est-à-dire de l'être chez soi au milieu de l'étant en totalité»[70]. Témoigne également du privilège du séjour, l'accent mis sur la coappartenance entre l'être et Hestia, la déesse du foyer[71]. Certes cet être-chez-soi est confronté à l'essence inquié-

67. *Id., ibid.*, p. 100.

68. Malgré les différences entre les deux philosophes, ceux-ci n'auraient pas pensé l'essence de la *Polis* : voir *Gesamtausgabe*, 53, p. 99.

69. Heidegger, *Gesamtausgabe*, 53, p. 100.

70. *Id., ibid.*, p. 101.

71. Voir *ibid.*, pp. 141-142 à propos du *Phèdre* de Platon, 174 a : «Hestia, en effet, reste à la maison des dieux, toute seule».

tante de l'homme qui doit rester sans cesse questionnée. Mais alors que l'historialité heideggerienne reprend sa consistance quand elle est déchiffrée dans les grands textes métaphysiques, elle est ici dogmatiquement insérée dans une germanité qui se décrète elle-même destinalement ajointée (comme *das Schickliche*) et s'attribue les clés de l'histoire véritable. Finalement, dans le commentaire sur *L'Ister,* l'axe tourbillonnant du fleuve et le poète lui-même se voient audacieusement rapprochés[72]. Mais, en reposant la question hölderlinienne : «Y a-t-il sur terre une mesure ?», Heidegger semble prendre conscience, en concluant ce cours, qu'il s'est lui-même aventuré plus loin que ne l'imposait la sobriété de la pensée. Et il concède que «nous, hommes d'aujourd'hui, malgré toute "communauté", demeurons métaphysiquement, c'est-à-dire historialement, empêtrés dans la subjectivité»[73]. Si cette flèche lancée contre le communautarisme mobilisateur de l'époque mérite d'être signalée, elle n'est cependant pas une opposition à l'orientation fondamentale du «mouvement» : elle marque plutôt la tension entre la quotidienneté de l'organisation techniciste et l'eschatologie du Sacré.

En définitive, qu'impose cette eschatologie (également très perceptible dans les *Beiträge*)[74]? Et comment gouverne-t-elle l'historialisme destinal ? La réponse est donnée au terme d'un développement sur la co-appartenance entre hellénité et germanité, hors de tout comparatisme et de toute Renaissance : «Tout dépend plutôt de ce que nous expérimentons l'essence de l'histoire dans sa vraie loi, c'est-à-dire que nous soyons touchés par la détresse de l'historialité»[75]. On n'atteint la «loi de l'histoire» qu'en la questionnant[76]. La méprise théologico-politique, dont Hölderlin est l'enjeu et l'otage, aboutit donc à une contradiction inextricable : dans la même page[77], on voit Heidegger réaffirmer

72. Heidegger, *Gesamtausgabe,* 53, p. 204.

73. *Id., ibid.*, p. 203.

74. Voir *id. ibid.*, 65, p. 395 sq. (les paragraphes sur les hommes «d'avenir» et sur le «dernier dieu»).

75. *Id., ibid.*, 53, p. 155.

76. *Id., ibid.*, p. 106.

77. *Id., ibid.*

la dignité questionnante de la saisie pensante de la *Polis*, souligner qu'elle est séparée «par un abîme» de la conception du «privilège inconditionné du politique», et pourtant saluer la «singularité historiale du national-socialisme».

*

Ni l'idéal hölderlinien ni la quête du Sacré qu'il implique n'ont suffi à contrebalancer la dérive politique heideggerienne. Certes nous y avons découvert une face lumineuse et noble, tournée vers l'avenir, de l'historialisme destinal. Mais nous avons dû aussi constater que, malgré le mépris évident envers le «tout politique» nazi, les cours sur Hölderlin n'échappent (même en 1942) ni à la mythologisation de la germanité ni à la sublimation historiale du «mouvement».

Nous devons en tirer les dernières conséquences. Sans doute les cours sur Hölderlin ne sont pas le dernier mot de Heidegger ; mais ils ne doivent ni être sous-estimés ni servir d'alibis. Leurs beautés comme leurs lourds malentendus témoignent du caractère profondément ambigu de l'historialisme destinal. Les hypothèques de ce dernier ne seront jamais radicalement levées par Heidegger.

Cependant, il n'est pas douteux qu'une double *catharsis* s'est confirmée durant les trente dernières années de travail pensant de Heidegger : du côté de la métaphysique et dans l'approche du Sacré. Eu égard à la métaphysique, l'abandon progressif du mirage de sa refondation sous la forme d'une ontologie fondamentale, la déposition du volontarisme de la «décision résolue», la délimitation du champ de la subjectivité absolue, la critique du nihilisme européen sont des acquis herméneutiques qui se dégagent peu à peu, et dès 1936. Malgré les lourdes rémanences constatées et déplorées dans le cours de 1942 sur *L'Ister*, il n'est pas niable que s'y accuse une distance à l'égard de la métaphysique de la subjectivité, dont aucune trace n'était décelable dans les cours de 1934-35. Même si la critique de la métaphysique n'est pas à confondre avec celle du nihilisme nazi, elle accuse la prise de distance à l'égard des traits dominants de l'effectivité.

Quant à l'approche du Sacré, de la *Lettre sur l'humanisme* à *Identité et différence* [78], elle se concentre sur la possibilité d'un accès au «dieu divin» par-delà le Dieu de l'onto-théologie. La question qui devient focale n'est plus celle de la vocation poético-théophanique d'un peuple[79], mais celle des limites du langage métaphysique et des possibilités réservées — dans la poésie et la pensée — pour l'Occident comme tel[80].

Quel que soit le rôle des circonstances historiques et celui des facteurs psychologiques ou des arrière-pensées, les textes demeurent et ils ont une portée qui excède la grille de lecture exclusivement politique. S'il est absurde de faire commencer le «tournant» de Heidegger en 1945, ce n'est point parce que la défaite de l'Allemagne et l'effondrement du nazisme n'ont eu aucun effet sur Heidegger, c'est plutôt parce que d'innombrables témoignages textuels donnent à penser que le fameux «tournant» (qu'il soit une «stylisation» ou un profond revirement)[81] est une démarche complexe qui ne s'est pas effectuée à un seul niveau[82]. En outre, l'argumentation critique fort peu complaisante à l'égard de Heidegger, faisant état de son tournant «néo-païen», antérieurement à l'engagement de 1933 (ce que Habermas nomme après Pöggeler la «césure biographique de 1929»)[83] impose elle-même un «décrochage» de la chronologie interne à l'évolution heidegge-

78. Voir Heidegger, *Lettre sur l'humanisme*, Paris, Aubier, 1957, pp. 130-133 ; *Identität und Differenz*, *op. cit.*, pp. 70-71.

79. Dans les cours sur Hölderlin, les dieux eux-mêmes dépendaient, à bien des égards, du séjour humain. Les dieux «appartiennent» à la *Polis* : voir *Gesamtausgabe*, 53, p. 101.

80. Par exemple, en relayant l'interrogation de Valéry dans *La crise de l'esprit* : voir «Hölderlin Erde und Himmel», *Hölderlin Jahrbuch*, 1958-1960, p. 53 sq.

81. Sur la stylisation qu'il interprète comme «abstraction essentialisante» opérée rétrospectivement par Heidegger, voir Jürgen Habermas (Martin Heidegger, *L'œuvre et l'engagement*, *op. cit.*, p. 34, 53). L'expression «profond revirement» se trouve sous la plume de Jacques Taminiaux (*Lectures de l'ontologie fondamentale*, *op. cit.*, p. 278).

82. Jean Grondin ne distingue pas moins de cinq aspects du «tournant» et il montre, de manière assez convaincante, qu'une certaine idée du tournant animait déjà le projet inachevé de *Etre et temps*. Voir son livre, *Le tournant dans la pensée de Martin Heidegger*, Paris, PUF, 1987, pp. 120-123.

83. Habermas, *Martin Heidegger...*, *op. cit.*, p. 27 sq.

rienne par rapport à celle des événements politiques. La lecture de Nietzsche et de Hölderlin a joué, dans les années 30, un rôle considérable qui ne peut être mis sur le même plateau de la balance que les effets idéologiques du processus de décomposition de la République de Weimar. A l'autre bout de l'itinéraire heideggerien, on constate, fut-ce pour s'en scandaliser, que Heidegger n'a rien renié, par exemple, sur «la vérité interne et la grandeur» du national-socialisme ; c'est donc aussi que l'opportunisme ou la sublimation d'opinions ponctuelles n'expliquent pas tout. Les interprètes trop pressés ont commis deux schématisations inverses : du côté anti-heideggerien, rabattre excessivement l'évolution spirituelle du philosophe sur l'axe de référence politico-idéologique ; du côté heideggerien, exciper du «tournant» de la pensée pour nier ou occulter le maintien d'«adhérences» politiques après 1934.

A cette situation complexe, il y a au moins deux explications. L'une a déjà été prise en compte et tient au fait qu'un penseur de la taille de Heidegger ne saurait être confondu avec un idéologue opportuniste, et d'autant moins que son questionnement s'ancre dans les questions fondamentales que la pensée humaine se pose depuis l'aurore de la métaphysique. L'autre raison tient à la conception que Heidegger s'est constamment faite du rôle du penseur et qui s'est avérée lourde de conséquences pour sa politique (et son a-politique) : il s'agit, selon les termes judicieux de Jacques Taminiaux, d'«un souverain dédain pour la pluralité humaine et la doxa sans laquelle elle ne peut être»[84]. De la phénoménologie du «on» à la généalogie de l'espace public technicien, cet aristocratisme n'a pas toujours revêtu la même forme : l'héroïsme du Soi résolu s'est mué en endurance solitaire ; mais ce trait platonicien[85] s'est maintenu : le penseur se croit ontologique-

84. Taminiaux, *Lectures...*, *op. cit.*, p. 278.

85. Bien entendu, ce trait ne rend pas pour autant Heidegger platonicien *à tous égards*. Il est significatif que lorsque Heidegger cite le fameux passage du livre V de la *République* (473 d) sur les philosophes-rois, il ne critique pas Platon lui-même sur le privilège ontologico-politique accordé au penseur (voir *Gesamtausgabe*, 53, pp. 105-106).

ment doué d'un privilège quasi royal d'écoute de l'essentiel et d'ajointement au destin. Cet aristocratisme (qui ne se réduit pas à un élitisme mandarinal)[86] a partie liée avec une conception de la pensée méditante qui accentue à l'excès sa distance à l'égard des pratiques rationnelles et de leurs insertions sociales différenciées. Sa solitude entend guetter le retrait destinal que le cours dominant de l'histoire masque à l'humanité : ce soliloque atteint son comble et ses limites dans les *Beiträge*. Pourtant, l'analyse des présupposés et des tensions internes de cette pensée renvoie à une logique que nul «événement» ne peut invalider. De cette césure, il faut maintenir le tranchant, le contrôle et le recours face aux errances de l'homme dans son histoire.

86. Comme l'a vu Habermas : «Ce n'était plus la vision élitiste qu'avait d'elle-même une corporation universitaire ; c'était la conscience d'une mission réservée à sa propre personnne...» (*Martin Heidegger..., op. cit.*, p. 67).

Chapitre 7
À distance

> Dès que la pensée répudie son inaliénable distance et tente par mille arguments subtils de prouver combien elle est juste littéralement, elle s'effondre... la distance n'est pas une zone protégée, mais un champ de tensions.
>
> Theodor Adorno, *Minima moralia*, § 82

«Plus un maître est grand, plus purement sa personne disparaît derrière son œuvre»[1]. Heidegger a formulé ainsi sa plus noble ambition et le risque implicite de la voir démentie. Farias, à cet égard, si décevant soit-il quand il philosophe (et précisément pour cette raison), représente le plus insolent défi à l'espoir ultime du penseur : «Vous vouliez disparaître derrière votre œuvre et voici que vous n'y réapparaissez que trop. Elle doit rendre des comptes aux préjugés et aux options de votre vie». Mais, si cuisante soit l'attaque, elle ne pourrait l'emporter à son tour (non dans une joute précipitée, mais, à terme, et auprès des esprits les plus responsables) que si — au-delà des effets de scandale — elle parvenait vraiment à faire entrer la pensée vivante qu'elle investit dans

1. Martin Heidegger, *Gelassenheit*, Pfullingen, Neske, 1959, p. 12 ; *Questions II, trad. cit.*, (modifiée), p. 162.

ses propres cadres, sans la caricaturer. Nous savons désormais à la fois qu'il n'en est rien, mais que ladite pensée ne sort pourtant pas intacte de l'épreuve.

Situation fort étrange et où les plus classiques analyses littéraires et philosophiques du partage vie/œuvre semblent en défaut. Entre les deux cas-limites du travail purement scientifique (où ne compte que le résultat objectif) et les figures adverses de la confession ou du journal intime, l'œuvre philosophique transcende son auteur sans toujours réussir à le masquer tout à fait ; elle garde au moins la griffe de son style ; Spinoza lui-même ne s'efface pas totalement derrière la méthode géométrique. Mais, là encore, il y a un cas Heidegger. Nous avons beau savoir que c'est l'œuvre qui compte avant tout et vouloir en dégager le trésor qu'elle nous lègue (fût-ce à titre de possible), c'est bien au sein de la pensée que nous sommes rabattus vers son destin, c'est elle qui fait signe vers la finitude et qui s'ancre à sa propre historicité.

Comme la grandeur ?

> Devant un antique et noble monument : «C'est triste !» disait quelqu'un à Bonaparte, et celui-ci : «Oui, c'est triste, comme la grandeur !»
>
> Charles de Gaulle, *Le fil de l'épée.*

La grandeur est évidemment une référence que beaucoup récuseront aujourd'hui, la jugeant anachronique. Son temps est-il effectivement révolu ? Si aucun grand penseur ne se profile plus à l'horizon, cette absence révèle-t-elle un manque d'intelligence, de connaissances et même de créativité ? Le discours de grandeur, rétorquera-t-on, s'est toujours voulu tel et hors du commun— de Platon à Caton, de César à de Gaulle — en dépit de la dureté et de la médiocrité des temps ; le héros militaire ou moral ne se dresse pas adossé à son époque, mais plutôt lui faisant la leçon. Laissons donc de côté la question — trop hasardeuse — de déterminer si l'ère de la technique et des médias a définitivement porté au tombeau tout sens de la grandeur et toute velléité de renaissance. Il nous importe seulement de relever ce que personne ne peut nier à propos de Heidegger : il a *voulu* la grandeur. En témoigne plus que tout autre chose ce texte de Kleist qu'il cita devant les caméras de la télévision allemande à l'occasion de son quatre-vingtième anniversaire : «Je m'efface devant quelqu'un qui n'est pas encore là et je m'incline, mille ans à l'avance, devant son esprit»[2]. Qu'on l'appelle «grand seigneur» (pour rester fidèle à Kant), apocalyptique (avec Derrida), mégalomaniaque (avec Richir)[3], il y a un ton heideggerien qui n'est réductible à aucun autre, qui s'affirme contre toutes les médiocrités et n'entend se mesurer qu'à la hauteur de la plus décisive des questions, celle de l'être. On a le droit de considérer qu'il s'agit, en fait, d'un pathos pseudo-héroïque et parfaitement académique ; il est vrai que Heidegger n'échappe pas toujours, surtout dans ses cours, aux lois hautaines et lourdes d'une rhétorique dont Madame de Staël avait déjà noté qu'en Allemagne elle adore s'entourer de nuées ; mais on n'a pas le droit de méconnaître l'intention qui traverse ces conventions et qui dote l'œuvre d'un élan qu'aucune feinte ne permettrait de simuler jusqu'au bout. Surtout, il ne faut pas oublier l'enjeu sans cesse réaffirmé, le seul que Heidegger accepte, le seul qu'il soit incontestablement justifié de lui opposer : la philosophie elle-même. Comment nier qu'il y ait une ligne de crête de cette œuvre et que la «répétition» de la question de l'être oblige à reprendre radicalement toutes les autres questions, en un dialogue serré avec les grands penseurs (non les plus grandiloquents, mais ceux qui — chacun en son temps — ont su dire l'inoubliable) ?

«A cette lumière, dira-t-on, tout s'éclaire à nouveau : Heidegger est grand quand il est en charge de la philosophie, quand il assume à sa façon le poids de ses questions fondamentales ; il fut petit quand il se laissa aller à en sortir, en prenant parti de la pire façon et en se faisant happer au piège d'une conjoncture dont il

2. *Martin Heidegger im Gespräch,* herausgegeben von Richard Wisser, Freiburg/München, Karl Alber, 1970, p. 77.

3. Voir le célèbre texte de Kant, récemment retraduit par Alain Renaut, «Sur un ton supérieur nouvellement pris en philosophie», *Œuvres philosophiques,* Bibliothèque de la Pléiade, III, p. 393 sq. ; Jacques Derrida, *D'un ton apocalyptique adopté naguère en philosophie,* Paris, Galilée, 1989, pp. 95-96 ; Marc Richir, «D'un ton mégalomaniaque adopté en philosophie», *Esprit,* mai 1988, pp. 74-90.

espérait sans doute tirer profit. Retenons le premier ; laissons tomber le second». Cette position a tout pour séduire : le bon sens, la simplicité, et le fait qu'elle soit vraie en gros. En effet, après tant de minutieuses enquêtes, personne ne peut réellement prouver que Heidegger était absolument contraint à son engagement politique par sa philosophie, personne ne peut non plus démontrer qu'un intérêt profond pour celle-ci induise une attitude politique fasciste (Adorno n'a jamais été moins convaincant que lorsqu'il a soutenu cela pour se défendre)[4]; au contraire, laisse-t-on de côté les «écrits politiques» et les allusions à l'actualité, on dispose toujours d'une œuvre considérable, mais dont la portée déborde ou défie la politique. Il est donc tentant, il paraît fort justifié de revenir à un partage traditionnel, laissant les philosophes philosopher en paix sur tout ce qui est philosophique chez Heidegger ; et les historiens, les politologues s'interroger sur les aberrations de son embardée politique plus ou moins prolongée. La singularité dont il faudrait accepter l'irréductibilité, mais *à l'extérieur* de la philosophie, ce serait cet accrochage singulier des choix aux circonstances — qui façonne précisément l'extériorité brutale d'un destin et dont un homme est seul à répondre devant Dieu, l'histoire ou la nature éternellement muette.

Notre option a été plus exigeante. Non que nous récusions ce qu'il y a de salutaire et de raisonnable dans le désir de respecter la spécificité des discours, leurs différences, leurs dégradés ; de conjurer aussi le terrorisme intellectuel qui serait une bien triste réplique aux carences qu'on prétendait flétrir. Mais il fallait répondre à une urgence proprement philosophique ; il fallait comprendre, de l'intérieur, ce qui avait rendu possible (non fatale) l'erreur, ce qui la rendait toujours possible en un sens. Il fallait comprendre l'incompréhensible : comment une inspiration hölderlinienne, noble et pudique quête du Sacré (tout le contraire d'une volonté inconditionnée de maîtrise planétaire, tout le contraire du volontarisme impérialiste et raciste des nazis) avait pu se projeter, fût-ce à titre de «possible», sur un «mouvement» dont la brutalité et le cynisme étaient patents, et allaient se révéler criminels au-

4. Voir Philippe Lacoue-Labarthe, *La fiction du politique*, *op. cit.*, p. 150 sq.

delà du concevable ? L'historialisme destinal est cette articulation qui fait croire à Heidegger qu'un «nihilisme actif» de la volonté de puissance est inévitable, mais que l'Etre réserve une appropriation plus haute : «... un élément portant bien au-delà et pouvant peut-être apporter quelque jour un recueillement sur l'essence occidentale et historiale de ce qui est allemand (*das Deutsche*)»[5]. Le nœud destinal de l'être recèle à la fois le «danger» et le «salut». Invoquer ce dernier pour faire pardonner le premier, comme Heidegger le fait dans sa lettre au Président du Comité d'Epuration où il évoque sa haute idée de la vocation pensante et poétique germanique[6], c'est oublier qu'ils sont philosophiquement indissociables à partir du moment où toute instance rationnelle (même virtuelle) a été écartée. La fragilité de la pensée heideggerienne du côté politique est donc l'index des risques pris par une pensée affrontant son destin. Sa fragilité n'est pas séparable de sa grandeur : tel est l'hapax *philosophique* heideggerien, sa manière singulière de répondre à une injonction de pensée.

Il est évident qu'on ne peut maintenir une cloison étanche entre ces deux singularités, l'existentielle et la philosophique ; elles ont communiqué en un point dense et secret où nous n'avons presque pas accès et que Heidegger lui-même a scellé par son silence. En ce cœur de ce qui lui est le plus personnel s'abrite une décision — ou un réseau serré de décisions — dont le caractère destinal — sinon fatal — est évident.

Aussi «heideggerien» qu'on puisse être (et en admettant qu'il s'agisse d'une orientation philosophique méditée, non d'une allégeance), on ne peut parler à la place de Heidegger, on n'a pas accès à ce cœur — inaliénable privilège et fardeau — d'un homme. De ce qu'on en devine, certains concluront qu'ils condamnent, d'autres qu'ils défendent et approuvent. L'essentiel est plutôt de mesurer la difficulté et de respecter ce qui fut respectable dans l'irréductible liberté de cet homme, sans aucune faiblesse à l'égard de l'inacceptable.

5. Heidegger cité par Lacoue-Labarthe, *ibid.*, p. 84.

6. Heidegger, Lettre au président du Comité politique d'épuration, *Cahier de l'Herne Martin Heidegger, op. cit.*, p. 105.

Corruptio optimi pessima

Si toute apolitique cache une politique, convenons que l'a-politique historiale-destinale du second Heidegger est une *politique de l'attente* et qui prend rendez-vous au-delà des siècles avec un «virage» du temps. On peut ironiser sur ce qu'a encore de romantique (malgré son ton dégrisé) cette patience épurée[7]. Doit-on lui refuser toute noblesse ? Son abrupt appel rompt avec l'affairement de l'époque ; et s'il y a vraiment crise (ou malaise) dans la civilisation (qui le nie ?), le moindre recours n'est-il pas à ménager ? Si vraiment la civilisation scientifico-technique doit engendrer ses «monuments cyclopéens», selon le mot de Nietzsche, elle ne le fera pas en un jour ni par la décision d'un ministre du Plan. L'invite heideggerienne semonce tout empressement volontariste devant la montée de l'avenir ; ce message est à retenir.

Leçon de l'expérience ? Sans doute. Il semble bien, en effet, qu'une telle politique de l'attente aurait évité au «premier» Heidegger de faire irrémédiablement faux pas. Mais il subsiste quelque chose qui «ne va pas» ; non pas dans le principe de cette a-politique historiale-destinale, mais dans la manière dont l'homme Heidegger l'a appliquée, et ce quelque chose est très grave (et ne semble pas grand chez son auteur) : c'est le refus de tirer, après coup, toutes les conséquences d'un échec aussi retentissant, aussi sanglant, aussi criminel (même si le philosophe n'avait personnellement aucun acte criminel à se reprocher). Fallait-il battre sa coulpe ? Même pas. Mais peut-être, fût-ce en quelques mots, donner visage au souci éthique.

Ce qui est grave : n'avoir pas su ni voulu reconnaître (par omission dans la fameuse parenthèse, par un défaut encore plus grand dans le «silence») que ce possible-là (l'appropriation du destinal «nationnel») s'était révélé au moins aussi dangereux que les autres «idéaux» (communisme, américanisme, etc...). Encore cette formulation reste-t-elle volontairement prudente. Ce qui est

7. Robert Legros ne s'en tient nullement là dans son beau texte, «Sur le romantisme de Heidegger», *Le messager européen*, n° 2, pp. 179-203.

gravissime (d'un poids inévaluable), ce n'est pas tant d'avoir cru, dix mois ou dix ans, aux possibilités de ce «mouvement» ; c'est d'avoir refusé de tirer clairement, impitoyablement, les leçons de cette terrible expérience. Car cette attitude, non seulement n'a pas permis, mais a contribué à bloquer une analyse critique de la spécificité historico-idéologique (et pas seulement historiale) du nazisme (sans même envisager un jugement éthique sur la perversité de son racisme) ; de même, face à l'expansion planétaire de la technique, le radicalisme historial du second Heidegger n'encourage pas à articuler une étude — pourtant indispensable — des différenciations internes au monde technique.

Corruptio optimi pessima : la sagesse des nations a pourtant su reconnaître qu'aucun Capitole n'est jamais à l'abri de la Roche tarpéienne (et que cette vérité a aussi et surtout une portée morale : elle touche les idéaux aussi bien que les empires). Un bon Français (sceptique au fond) a peine à croire que l'idéal d'une religion poétique populaire inspirée de Hölderlin était présentable, même à l'époque où l'histoire n'avait pas rendu son terrible verdict. Ce «national-esthétisme» — que Heidegger professe à sa façon et à sa hauteur — dans les cours sur Hölderlin plus que dans le *Discours de Rectorat* — ne fut jamais le fond du nazisme effectif. Mais il n'est pas niable qu'il a habité des esprits et mû des cœurs, qui n'étaient pas tous méprisables. Tragédie que tout cela, il faut le répéter et le repenser. Mais pourquoi taire que l'horreur était en germe dans ce qui (à certains égards) pouvait sembler le meilleur ? Pourquoi ce refus hautain d'examiner des conséquences catastrophiques et incontestables ? et ce cap maintenu obstinément sur un «possible» maintenant repoussé à plusieurs siècles, un possible certes en principe tout différent du national-socialisme, mais à propos duquel aucune précaution, aucune détermination proprement politiques ne sont concevables ? Il y a là un entêtement qui donne trop l'impression qu'on a suspendu l'interrogation, cette «piété de la pensée», pour préserver ce *canton du possible* qui vous est cher et ne réserver l'aiguillon critique qu'aux «oublis de l'être».

On serait tenté de dire : «Qu'allait-il faire dans cette galère ? Et pourquoi s'engager politiquement, si l'on ne se donne pas les moyens de penser les contraintes propres à ce genre de pratique ?». Ce qui est justifié dans cette réaction, assez répandue d'ailleurs en son bon sens évident, c'est qu'à aucun moment Heidegger n'accepte d'affronter le problème politique comme tel, c'est-à-dire en fonction de ses contraintes spécifiques[8]. Un sublime commentaire du chœur principal d'*Antigone*, de belles percées d'écriture et de pensée sur la *Polis* grecque ou l'institution d'une Cité[9] sont des approches du politique, non de la politique. Qu'est-ce donc qui désarme cruellement cette pensée face à la politique ? C'est, dès *Etre et temps*, le caractère exclusif de son souci ontologique ; c'est encore et toujours, ensuite, ce même souci exclusif prolongé dans l'historialisme destinal. Quant à la technicisation de l'espace politique, l'intuition heideggerienne a été profonde ; mais il lui a manqué, malgré tout, cette suspension critique du jugement qui introduit la nuance ou légitime la correction. En effet, ni en 1933 ni aujourd'hui, et malgré les importants déplacements de frontière entre problèmes techniques et politiques, les contraintes proprement politiques n'ont cessé d'exister ; mais Heidegger n'a pas su ni voulu l'admettre. Patočka, dans d'intéressantes notes marginales à l'entretien du *Spiegel*, relève que l'inspiration démocratique n'a jamais pris sérieusement garde aux problèmes techniques[10]. On pourrait ajouter : la tyrannie, au contraire, aime à prendre la technique comme alibi de sa captation de puissance. C'est que la démocratie pose un principe d'autoréférence qui n'est initialement ni ontologique ni destinal (et qui entend transcender ses préconditions) : la dignité et la parité de ses membres, la valeur suprême d'une règle majoritaire par laquelle on accepte d'être contraint. En ce sens, cette exigence d'autonomie collective assume l'oubli de l'être ; la délibération suspend tout le reste ;

8. Ainsi : comment penser l'exercice de la souveraineté, concevoir l'équilibre des pouvoirs, la conduite du gouvernement, etc.

9. Voir Heidegger, *Einführung in die Metaphysik, op. cit.*, p. 112 sq. (*Introduction à la métaphysique, trad. cit.*, p. 160 sq.) ; *Gesamtausgabe*, 53, p. 97 sq. ; *Holzwege, op. cit.*, pp. 64-65 (*Chemins, trad. cit.*, pp. 61-62).

10. Jan Patočka, «Commentaire de *Réponses et questions*», *Le messager européen*, n° 1, pp. 21-73.

l'espace intersubjectif du dialogue peut même prendre le pas sur l'urgence de la décision[11].

Nul n'est obligé d'aimer la démocratie. On ne saurait imputer à crime le fait, chez Heidegger, de nier que la démocratie soit la forme de pouvoir adaptée à l'ère technique (il avoue, d'ailleurs, son incertitude). S'il ne s'était pas engagé en 33, lui aurait-on reproché aussi instamment l'absence d'une philosophie politique proprement dite ? Le moment où la critique l'atteint de plein fouet est celui où l'on isole son incapacité personnelle à apprécier et juger l'histoire effective du siècle le plus mortifère de toute la geste humaine. A partir des ambiguïtés de son a-politique finale, on est bien en peine de donner une interprétation précise — dénuée de flou, de sous-entendus, sinon peut-être même d'«adhérences»— du phénomène nazi. Il n'a pas réussi lui-même, dans l'entretien posthume, à dépasser le niveau des autojustifications anecdotiques (dont il devait pourtant se douter qu'elles étaient exposées à de minutieuses vérifications) et des redites quant au fond même de sa pensée. Or la formule de la publication posthume permettait, en principe, de dire ou, au moins, de suggérer le plus difficile, le plus délicat. Ce mot qu'il n'avait pas su glisser à Celan, il a eu tout le loisir de le méditer. Mais il l'a retenu... «Seul un dieu peut nous sauver» : cette belle phrase, terriblement ambiguë elle aussi, peut n'apparaître que comme un alibi, au sens le plus fort et le plus frustrant.

Le fait est que Heidegger, malgré ses dénégations, a voulu se murer dans son erreur (ou plus justement peut-être : dans ce qui la rendait possible). Fédier lui-même lance une pointe acérée à propos des textes politiques de 33-34 : «Il parle d'autre chose — qui n'a peut-être (et c'est précisement là que Heidegger commet, me semble-t-il, sa faute) jamais eu de réalité hors de sa pensée»[12]. Cette phrase, si on l'étend hors de 33-34 et si on la prend au sérieux, est encore plus terrible. Car elle dit bien que Heidegger refuse de scruter l'expérience et d'en tirer les leçons, qu'il persiste

11. On le sent particulièrement dans les dernières années de la liberté d'Athènes.

12. François Fédier, Introduction à Heidegger, «Textes politiques 1933-34», *Le Débat*, n° 48, p. 177. Cf. Nicole Parfait, «Heidegger et la politique», *Le cahier du collège international de philosophie*, Paris, Osiris, 1989, N° 8, pp. 153-154.

(en son historialisme destinal) à viser un (re)commencement époqual radical rompant (à tous égards) avec la tradition platonico-chrétienne. Or ce que l'expérience nazie révèle cruellement (avec d'autres utopies meurtrières), c'est qu'une politique de la reconstruction *intégrale* de l'homme porte en elle un poison fatal. Il y a des acquis qu'il faut savoir accepter et défendre : l'idée antique de l'esclavage est à jamais morte (même si la réalité moderne en traîne bien des restes), la dignité humaine est au foyer de nos valeurs (quelles que soient les faiblesses des discours sur l'humanisme et les valeurs, quelle que soit la veulerie de beaucoup, abusant plus qu'usant d'une liberté qui devient laisser-faire plus que libre-arbitre). Ces valeurs n'ont plus le caractère directement absolu ni indiscutablement métaphysique qu'elles avaient pour Kant ou même Hegel. Mais les balayer, c'est se perdre dans la nuit.

Le nœud dénoué ?

Au lecteur pressé, l'historialisme destinal peut n'apparaître que comme une «vision du monde», un choix dicté par la subjectivité de l'individu Martin Heidegger. Comme toute philosophie, la pensée de Heidegger offre une face par où elle peut être ainsi réduite. On a vu que tel n'est pas l'aplomb de sa grandeur : toujours plus questionnant face à la tradition métaphysique.

Serrons de plus près cette tension ; nous découvrons qu'elle est intérieure à l'œuvre et que Heidegger lui-même n'échappe pas à cette «disparité». Si la grandeur est dans le questionnement, elle ne reste ni vide ni abstraite, elle ouvre des possibles *dans la lecture même de la métaphysique*. Heidegger n'est jamais aussi éclairant, passionnant, que lorsque, comme lecteur, il découvre ce qu'il nomme l'impensé d'un auteur, le fil rouge de la tradition philosophique dans son unité monumentale (et c'est pourquoi il est impossible de le comprendre vraiment, si l'on s'en tient à son dialogue avec les Modernes). Alors, sa pensée, lectrice au regard d'oiseau de proie, se fait génialement critique. Gadamer, Arendt ont, d'ailleurs, évoqué ces séminaires souverains qui firent la gloire du jeune professeur à Marbourg. Lorsqu'il œuvre ainsi sur les grands textes, Heidegger pratique déjà l'historialisme destinal, mais non comme unité doctrinale ou nouvelle «philosophie» : uniquement comme *pratique diacritique.*

La force herméneutique de cette pratique peut être ainsi marquée : face à un texte, ne point se contenter d'analyser le jeu de son argumentation ni celui du «fond» et de la «forme», etc., mais confronter le «dit» du texte à l'envoi destinal qu'il révèle et masque à la fois (son impensé étant comme son destin). Chaque texte exhibe ainsi et retient une même question en une guise époquale. L'écouter, c'est débusquer cette question, grâce à une chasse violente et douce à la fois, qui se veut, en somme, plus questionnante que l'auteur.

N'oublions pas (sous prétexte de contredire Farias) que Heidegger a reçu une formation spirituelle et théologique catholique (sa jeunesse offre des enseignements qui ne se limitent pas au terroir souabe ni à la pratique sociologique du catholicisme). Ce qu'il en a reçu est inestimable : le sens de la tradition, le legs des textes. Lui-même a indiqué que sans cette «provenance théologique» il ne serait jamais devenu un penseur[13]. Il n'est peut-être pas interdit de discerner dans cette tradition, telle qu'elle a sollicité le jeune Heidegger, un intense conflit entre la *rationalité* dogmatique et argumentative du thomisme d'une part, et *l'historicité* exégétique et herméneutique des textes sacrés d'autre part. Le partage ne se fait peut-être pas au premier chef entre la tradition théologique chrétienne et la tradition philosophique grecque, mais entre deux modes d'accueil de la vérité. La tradition chrétienne est elle-même hypothéquée par l'esprit dogmatique-argumentatif (qui repose sur l'idée d'une *philosophia perennis*) dont Heidegger va découvrir— grâce à Brentano[14] — qu'il n'est pas l'essentiel chez Aristote. Le retour aux textes s'opère des deux côtés, spirituel et philosophique. C'est pourquoi saint Augustin jouit, chez le jeune Heidegger, d'un si grand privilège, car il unit les deux traditions, et l'on ne peut jamais le lire uniquement en mode dogmatique-

13. Martin Heidegger, *Unterwegs zur Sprache*, Pfullingen, Neske, 1959, p. 96 ; *Acheminement vers la parole*, trad. Beaufret, etc., Paris, Gallimard, 1959, p. 95.

14. Franz Brentano, *Von der mannigfachen Bedeutung des Seienden nach Aristoteles*, Freiburg, Herder, 1862.

argumentatif : l'auteur des *Confessions*, en termes heideggeriens, déclôt le message du Christ avec toute sa vigueur de kérygme interpellant un homme en chemin, comme Paul de Tarse se dirigeant vers Damas ; la vérité se découvre à un mortel dans sa finitude et son historicité[15].

La déconstruction de la métaphysique reprend donc le relais d'une délimitation critique des prétentions scolastiques. La *philosophia perennis* se révèle n'être qu'une des figures de la métaphysique : la vérité ne s'y cerne que comme adéquation, le tout de la création n'est que le tout de l'étant, l'homme se range sous sa définition d'animal rationnel et de créature de Dieu, Dieu lui-même est monarque de l'étant et son existence souveraine y reste agrippée. La question de l'être qui ne se laisse pas ainsi subjuguer, c'est d'abord cette unité analogique, homonymie linguistique plus qu'ordre ontique.

L'historialisme destinal, dans sa grandeur, c'est-à-dire dans l'ouverture de possibles philosophiques-herméneutiques, capte cette source et l'alimente de manière inédite. L'œuvre de Heidegger, sous cet angle, est un extraordinaire regain herméneutique-critique. Cette appréciation n'implique nullement qu'on approuve toutes ces interprétations ni que l'arbitraire en soit censé absent ; l'essentiel n'est pas là : c'est que l'aiguillon du questionnement ne cesse d'opérer, en un dialogue constant avec la lettre et en confrontant celle-ci avec son contexte, son déploiement dans son histoire.

Cette distance diacritique, cette sollicitation et cette provocation constituent jusqu'au bout la grandeur de cette pensée (ou plutôt : rappellent sans cesse celle-ci — et nous avec elle —, à l'ampleur de ces questions, car la grandeur, la vraie, n'est jamais un capital constitué) : d'*Etre et temps* au *Principe de raison*, cette ligne de faîte est maintenue. On se dit alors : «Ne s'est-il rien passé ? Quel est cet autre Heidegger, ombre du premier, qui se

15. Rappelons que Heidegger a donné en 1921 un cours sur «Augustin et le néoplatonisme». Voir Jeffrey Barash, «Les sciences de l'histoire et le problème de la théologie : autour du cours inédit de Heidegger sur saint Augustin», *Saint Augustin*, Dossier H, p. 421 sq.

fourvoie et nous confronte à des écueils si étrangers au premier ?» La réponse n'est pas facile à dénicher ; tout ce livre en fut la traque ; elle s'est déjà annoncée sous différents profils. L'ultime silhouette restera une ébauche, une hypothèse. Sans doute ne peut-il en être autrement : nous ne pourrons jamais dénouer complètement l'écheveau de cette vie au destin singulier ; et nous le pourrons d'autant moins, dans ce cas précis, que cette pensée est destinale, toute recourbée vers la finitude (qui est à chaque fois mienne, comme le rappelait *Etre et temps*).

Il ne suffit pas de dire que Heidegger n'a pas été à la hauteur de son propre questionnement. Vérité qui nous rabat sur la banalité. Les baisses de tension ou les «trous d'air» de l'œuvre heideggerienne, par leur allure particulière, réclament une attention redoublée. Le disparate est intérieur. Par exemple, dans la *Gesamtausgabe* en son volume 29/30, Heidegger distingue trois sortes d'ennui ; il en fait une phénoménologie qui se veut ontologique ; il est académique et ne sait pas parler de l'ennui sans ennuyer. Mais déjà, dans *Etre et temps*, n'étaient-elles pas bien lourdes ces pages sur l'angoisse dont on se demande si l'auteur fut jamais angoissé (car la main de l'angoisse est si tremblante) ? Et notre mortalité, désarmante et altière, quand sa désinvolture est pindarique, ne sèche-t-elle pas quelque peu dans la devanture germano-académique des paragraphes 46 à 53, tandis que la «déclosion décisive» (*Entschlossenheit*) qui se veut instantanée n'en finit pas d'éplucher ses conditions et de s'ancrer à l'historicité ? Réactions d'humeur, dira-t-on. Soit. Mais ces impertinences, si discutables soient-elles, indiquent que l'on traverse une *zone dangereuse* lorsque les signes s'inversent et que la phénoménologie — de négative — devient positive, prétend dire la chose même (fût-ce en son dérobement) et refonde un discours (autoréféré) de vérité et d'appropriation. L'être redevient un substantif ; il parle — silencieusement ; il se livre — en se retirant ; il est époqual.

Epokhè, justement, mot-clé, mot énigmatique. Pourquoi fallut-il le tirer de son écrin sceptique et de la modeste sagesse de Pyrrhon ? Husserl déjà en avait fait le principe universel d'une recherche transcendantale. A ce point, une indication comme celle que rencontre le sourcier dans sa recherche d'eau : Heidegger suspend le geste husserlien et rétorque en substance : «L'*epokhè* n'est ni abstraite ni universelle, mais d'origine grecque ; écoutons son origine, méditons sa destination possible : c'est un mot frappé par l'être». Le tour se joue ainsi : le moment de force de Heidegger, sa position critique (l'*epokhè* n'est pas principe universel) sert de pivot et d'axe à une nouvelle *thèse*, à un nouveau dire *ontologique*. Mais cette nouvelle donne se dérobe désormais — en son ambition souveraine qui défie et emporte le questionnement — à l'espace diacritique (alors que la relecture des grands textes métaphysiques se fait, en règle générale, à l'intérieur de celui-ci) et le penseur ose faire ce pas : transformer une *contre-lecture* en *contre-possibilité* (car la pensée de l'être devient la réplique historiale-destinale à l'impensé de *toute* la métaphysique).

Si l'on y prend garde, l'inversion de signe se produit là, au sein de la pensée, «décision» bien plus secrète qu'un engagement politique (qui peut-être entretient cependant plus d'un lien avec lui), mais qui va se poursuivre au fil d'innombrables dénégations : la pensée de l'être n'est pas une nouvelle philosophie, il n'y a pas de «philosophie de Heidegger», etc.[16]. Dénégations qui — comme toute *Verneinung* essentielle — ont leur vérité (celle du moment diacritique), mais qui contribuent à masquer l'audace d'autres gestes et qui, entraînant de nouvelles ratures (*Sein* devenant *Seyn*, puis ~~*Sein*~~ puis *Ereignis*), se déplacent en se confirmant.

Il serait excessif de prétendre que ce tour ontologique (appelons-le historial-destinal positif) induit directement l'erreur politique en ses différents niveaux (l'engagement lui-même, mais aussi la justification historiale qu'il faut bien nommer fataliste). On peut, du moins, avancer qu'elle y expose à l'extrême une pensée qui n'est plus retenue uniquement par le souci herméneutique-critique. Ce tour (qui ne se confond pas avec ce que l'auto-interprétation heideggerienne a nommé le «tournant») se dessine déjà dans la dernière partie d'*Etre et temps*, en particulier au § 74, et ne fera ensuite qu'accuser ses traits historiaux. Lorsque Heidegger lie alors la liberté pour la mort à un choix instantané par lequel

16. Voir, entre autres, Heidegger, *Zur Sache des Denkens*, *op. cit.*, p. 51 ; *Questions IV*, Paris, Gallimard, 1976, p. 84.

l'Existant assume «son temps», il insiste, d'une manière non seulement excessive, mais emphatiquement exclusive, sur la clôture destinale de cette appropriation. Il faut lire cette phrase en étant sensible à l'accentuation de son début : «C'est seulement (*nur*) la temporalité propre, simultanément finie, qui rend possible quelque chose comme le destin, à savoir l'historialité propre»[17]. On sait, en outre, qu'à partir de 1930, la lecture de Nietzsche est devenue, pour Heidegger, de plus en plus déterminante : c'est toute une pensée de l'histoire de l'Occident, c'est bien sa pensée de l'époqualité de l'être que Heidegger est ainsi conduit à affirmer à la fois avec et contre le «porte-parole» de Zarathoustra ; et malheureusement (nous le mesurons maintenant) les soucis de César viennent habiter l'âme du Christ, la volonté de puissance est pensée comme essence de l'être, le masque du nihilisme vient épouser les traits de l'époque ; Hölderlin lui-même (sollicité contre Nietzsche) vient prendre place aux bords rougeoyants de l'horizon historial (rapproché — comme par mirage — des contours d'une histoire trop actuelle)[18].

Elan grandiose certes, mais qui s'expose — non sans affectation — à des dangers historiaux qu'il entend assumer en une souveraineté ontologique — rien de moins[19]. On peut se demander si l'ampleur des risques pris est vraiment mesurée (par exemple, si l'on relit sous cet angle l'*Introduction à la métaphysique* et sa thématique de la violence originaire). On voit que nos analyses ne se bornent pas à la constatation rassurante des réprimandes, le plus souvent allusives, adressées à Krieck, Rosenberg et autres gnomes. Car ni les cours sur Hölderlin, ni ceux sur Nietzsche, ni même les essais postérieurs à 1945 (cette fois-ci face à la Technique) n'échappent à l'historialisme destinal positif et ne résistent à cette

17. *Id.*, *Sein und Zeit*, *op. cit.*, p. 385.

18. D'où la légitime interrogation d'Otto Pöggeler : «Le poème de Hölderlin, du fait de l'utilisation que Heidegger en fait, n'est-il pas retourné en son contraire ?» (Voir *Heidegger und die praktische Philosophie*, *op. cit.*, pp. 54-55).

19. Jean-Luc Nancy remarque avec justesse : «il (Heidegger) pensait encore «le libre», jusqu'à un certain point, du moins, dans des termes et dans des tons de «destin» et de «souveraineté». Au nom desquels, sans doute, il fut séduit par Hitler, et plus tard fit silence sur les camps.» (*L'expérience de la liberté*, Paris, Galilée, 1988, p. 209).

possibilité, tentation ou exigence, selon les points de vue, de dire grandement (sans doute trop grandement) l'«initial».

Bien entendu, cet historialisme ne va pas sans un sens du Propre (dont le lieu est la langue) et qui est peut-être, en fait, sa présupposition première. Ce Propre n'échappe-t-il pas au questionnement ? Adorno n'en a vu que les retombées jargonnantes ; Derrida a su en soupçonner l'économie avec plus de subtilité. Il faut leur rendre (inégalement, diacritiquement) les armes : si noble que soit l'évocation heideggerienne de la pensée et de la poésie, elle fait partie du complexe d'un grand discours ontologico-destinal au sein duquel la projection de la mission historico-mondiale de l'allemand a pu servir, à la lettre, d'alibi à la considération d'autres aspects, moins nobles, de la germanité effective.

Ce tour était-il évitable ? Etait-ce une sorte d'illusion transcendantale incontournable ? Ne donne-t-il pas, en un sens, un appui à la diacritique elle-même ? Il n'est pas sûr qu'il soit possible de répondre complètement à ces interrogations. Hegel lui-même a déploré que les peuples ne tirent jamais les leçons de l'histoire. Saurons-nous tirer les leçons du destin noué d'une pensée si complexe ?

La rationalité politique et le jeu de la pensée

Si l'on voulait dresser un bilan selon une perspective chronologique, il ne serait pas absurde de «complexifier» le schéma de Richardson distinguant entre «Heidegger I» et «Heidegger II». Au terme de nos analyses et sous l'angle politique, il faudrait plutôt scander quatre grands moments : l'apolitisme du premier Heidegger, la «politique ontologique» des années d'engagement, la «transition» ambiguë (de 1936 à 45) vers l'a-politique historiale-destinale des trente dernières années. Un tel schéma historiciste, même amendé, n'apporte qu'une clarification toute relative. S'en tenir à lui serait méconnaître la portée de la remarque faite par Heidegger à propos du tournant entre première et seconde période : «Le tournant joue dans la question elle-même»[20]. De

20. Heidegger, Préface à Richardson, *From Phenomenology to Thought, op. cit.*, p. XIX : «Die Kehre spielt im Sachverhalt selbst».

même, sous l'angle politique, l'«évolution» de Heidegger est sous-tendue par l'unité de la question ontologique et elle ne saurait masquer le *vide politique* que cette œuvre semble impliquer et renouveler en son élan même et de l'intérieur : une béance ni contingente ni assimilable à une négligence, mais ouverte à la mesure du caractère fondamental et originaire du questionnement. Que ce soit tacitement (par évitement) ou frontalement (avec préméditation), la rationalité proprement politique est ignorée ou récusée, car considérée comme le produit ultime et le moins relevé de la métaphysique, indissociable de son origine dialectique socratico-platonicienne.

Quels enseignements en dégager ? Le premier n'est pas le moins important : si la question politique est l'écharde dans la chair de cette pensée, la difficulté déborde l'épisode (et le problème) nazi. Elle est discernable plus fondamentalement. La question politique, radicalement reposée à Heidegger, oblige à creuser à un niveau historial-destinal que l'idéologie nazie ne pouvait atteindre (malgré ses prétentions)[21] et par rapport auquel la réalité du nazisme historique n'offre tout au plus que des repères négatifs. Autrement dit, la question «Heidegger et le nazisme» ne recouvre nullement celle que la politique en général pose à cette pensée : elle n'en est que la partie la plus cruellement visible.

En second lieu, le type de déséquilibre auquel nous avons ici affaire n'est pas une exception absolue dans l'histoire des idées philosophiques et religieuses (même si son cheminement et son économie interne sont, dans le cas de Heidegger, à la fois complexes et singuliers). Une interprétation radicale de la parole de Jésus : «Rendez à César ce qui est à César et à Dieu ce qui est à Dieu» a conduit à l'abandon du monde à son Prince, Mammon, et au retrait mystique dans une sphère spirituelle aussi purifiée que possible (et cela, des premiers chrétiens à la Réforme et aux fondamentalistes contemporains). Tout retour au fondamental déserte le prosaïsme et les calculs de la rationalité politique, mais ne dédaigne pas de trouver éventuellement des compensations dans l'utopie.

21. Il faut, à cet égard, ne pas oublier Oswald Spengler et son *Déclin de l'Occident*, dont le retentissement fut énorme, y compris sur Heidegger (voir Pöggeler, *Heidegger und die praktische Philosophie*, *op. cit.*, p. 26).

Mais ce rapprochement est à manier avec précaution, puisque Heidegger ne s'en est précisément pas tenu à ce type de séparation radicale (à quoi semblait correspondre la distinction entre authentique et inauthentique dans *Etre et temps*), mais a plutôt oscillé dans la pratique (et peut-être du fait d'un déplacement de son manichéisme profond) entre les deux excès contraires du surengagement et du «sur-retrait» (de même que le fascisme et l'anarchisme peuvent être considérés comme les deux effets inverses, mais politiquement complémentaires, de la même pensée). Le rapprochement ne vaut que pour autant qu'il signale un abandon comparable de la *rationalité* politique comme art de la mesure, de l'équilibre des forces et des pouvoirs, de l'économie des possibles.

Et pourtant, s'il y a une rationalité cachée (mais inavouée) dans le refus (ou la déconstruction) par Heidegger de la politique, c'est la rationalité paradoxale de l'oxymore où mène la méditation de l'*Antigone* de Sophocle et particulièrement de son célèbre chœur (vers 333-375) : *pantoporos/aporos, hypsipolis/apolis* [22]. Surexperte/démunie, surpolitique/a-politique, telle est Antigone donnant, en sa démesure, mesure de l'humain. Que Heidegger soit fidèle à un aspect fondamental de l'inspiration sophocléenne en choisissant la ponctuation et la traduction hölderliniennes au mépris de traditions et de précautions philologiques avérées, c'est plus que vraisemblable ; que l'essence tragique du politique en soit éclairée, c'est indubitable. Mais que toute politique soit ainsi scellée, que l'homme moderne — considéré comme déchiré entre l'absence de la *Polis* et la technicisation de la politique — n'ait plus qu'à abandonner la Cité à son destin planétaire, c'est l'évidence peut-être expéditive que Heidegger veut imposer à partir d'une définition *fondamentalisme* (et historialiste) de la politique : «Tout cela est politique, c'est-à-dire dans le site de l'histoire...»[23]. Cette négation de l'autonomie (toute spécifique, toute ontique, toute modeste) de la politique, nous savons plus que jamais à

22. Sophocle, *Antigone*, vers 360 et 370. Voir Heidegger, *Einführung in die Metaphysik, op. cit.*, p. 112 sq. ; *Introduction à la métaphysique, trad. cit.*, p. 160 sq. ; *Gesamtausgabe*, 53, p. 97 sq..

23. Heidegger, *Einführung in die Metaphysik, op. cit.*, p. 117 ; *Introduction à la métaphysique, trad. cit.*, p. 166.

quels dangers elle expose, vers quels abîmes elle précipite. Entre tout et rien, entre la politique ontologique et l'a-politique historiale-destinale, Heidegger s'est-il livré à une sorte de poker philosophique ? Telle n'était certainement pas son intention, mais les résultats sont bien ceux d'une totale disjonction entre la *Polis*, privilège grec perdu-réservé, et la technique. Entre les deux, ce vide où s'est engouffré le national-socialisme, phénomène «transpolitique» selon Ernst Nolte[24] (mais qu'il serait peut-être plus juste de qualifier d'«infra-politique», tant il exploite la décomposition des structures et règles médiatrices de la société civile-bourgeoise).

«La politique a pris la place de l'antique destin», aurait dit Napoléon à Goethe[25]. Il faut croire et suivre Hegel à ce propos : il y a là quelque chose d'irréversible ; notre destin est précisément l'absence de destin, l'impossibilité d'une politique destinale (et, de même, l'impossibilité d'effacer ou de renverser le partage rationnel).

Mais, cette leçon doit-elle conduire à refuser de reconnaître chez Heidegger le moindre souci éthique ? De ce que l'articulation positive entre éthique et politique est déconstruite, il ne s'ensuit pas que l'inquiétude éthique soit absente de cette pensée : aporétique, initiatrice et questionnante, elle croise la déconcertante manière de Wittgenstein. Ce dernier parla de Heidegger le lundi 30 décembre 1929, chez Schlick, dans les termes suivants : «Je peux assurément me faire une notion de ce que Heidegger veut dire par Etre et Angoisse. Il y a en l'homme la pulsion de s'élancer contre les frontières du langage. Pensez par exemple à l'étonnement dû au fait que quelque chose existe. Cet étonnement ne peut pas s'exprimer sous la forme d'une question, de même qu'il ne comporte absolument pas de réponse. Tout ce que nous pourrions dire ne peut être *a priori* que non-sens. Il n'empêche que nous nous élançons contre les frontières du langage. Kierkegaard lui aussi a bien vu cet élancement et le décrit dans des termes tout

24. Voir Ernst Nolte, *Le fascisme dans son époque*, III, *Le National-socialisme*, *trad. fr.*, Paris, Julliard, 1963, p. 427 sq.

25. Voir Hegel, *Werke*, Frankfurt, Suhrkamp, 1970, 12, p. 339 ; *Leçons sur la philosophie de l'histoire*, trad. Gibelin, Paris, Vrin, 1963, p. 215.

à fait semblables (comme manière de s'élancer contre le paradoxe). S'élancer contre les frontières du langage, c'est là l'*éthique*. Je tiens pour vraiment important de mettre fin au verbiage sur l'éthique, à la question de savoir s'il y a une connaissance, des valeurs, ou si le bien se laisse définir, etc.»[26].

Si Wittgenstein a ici raison, l'œuvre de Heidegger est éminemment éthique, et de bout en bout. Quelle pensée plus que celle-ci nous fait mesurer les frontières du langage ? Mais de l'éthique à la politique, la conséquence n'est ni directe, ni évidente. L'intention la plus pure se brise contre les structures, l'indicible contre l'exigence de dire, de comprendre et d'expliquer. Entre le jeu de la pensée et son souci éthique originaire, c'est bien une articulation rationnelle qui doit assurer le passage permettant d'animer et d'éclairer l'espace quotidien de «l'aninal politique». La permanence de la tâche politique (et du rôle médiateur de la *responsabilité*)[27] témoigne ainsi que l'essence (métaphysique) de l'homme ne peut pas encore être dépassée — et ne le sera peut-être jamais.

En souffrance

La fécondité d'une pensée philosophique ne résulte pas de la vérification ou de la réfutation des propositions qui la composent. Celles-ci n'ont de «sens» et d'intérêt qu'au sein d'une expérience qui se remet en cause, de sorte que le centre vivant qui distingue une philosophie d'un corps de doctrine ou d'une idéologie doit être recherché dans des «correspondances fondamentales» qui sont en quelque sorte autoquestionnantes. Ainsi notre mise en question du lien entre la pensée et la donation destinale est-elle toute différente d'une réfutation de type classique : plutôt que son rejet, elle est sa *mise à l'épreuve* et le dessin de ses limites. Dans son dernier livre, et à partir de présuppositions méthodologiques toutes différentes de Heidegger, Granger souligne la spécificité

26. Voir Antonia Soulez (éd.), *Manifeste du Cercle de Vienne et autres écrits*, Paris, P.U.F., 1985, pp. 250-251.

27. Signalons, à cet égard, l'importance du livre de Hans Jonas, *Das Prinzip Verantwortung* (Frankfurt, Insel, 1979) dont il faut souhaiter la prompte traduction.

radicale du mode d'argumentation philosophique[28]. L'ironie de la situation est ici croisée : une pensée comme celle de Heidegger, malgré sa réticence envers toute formalisation du jeu argumentatif, n'échappe pas à une logique qu'elle partage avec les grandes pensées métaphysiques ; à l'inverse, l'inspiration analytique, si elle veut identifier ses procédures sans les réduire aux raisonnements et protocoles scientifiques vis-à-vis desquels son voisinage est constant et pourtant critique, se doit d'admettre l'irréductibilité sémantique d'un «champ» philosophique qui transgresse cependant toute délimitation disciplinaire.

S'il y a une fécondité de la pensée heideggerienne, elle ne relève d'aucune complaisance répétitive, d'aucune orthodoxie, d'aucune mode terminologique. Elle s'inscrit en des occurrences et des discours qui sont profondément étrangers à l'univers mental de celui qui fut l'homme Heidegger. Dans quelle mesure ces positions et ces propositions sont exposées aux mêmes objections que tel questionnement heideggerien, dans quelle mesure tel texte «heideggerien de gauche» partage les lignes de force ou de fragilité de sa référence inspiratrice, cela même n'est pas décidable d'avance, ni en fonction d'étiquettes hâtivement distribuées : c'est, à chaque fois, l'enjeu d'un nouveau travail philosophique. N'en déplaise à ceux qui seraient tentés de régler les tensions philosophiques comme des problèmes de circulation, il n'est ni souhaitable ni vraiment possible de parquer ni de classer les philosophies selon leur degré de vérité — ou selon leurs allégeances. De même que la philosophie hégélienne n'est jamais aussi opérante qu'à travers les incisifs déplacements de Marx, ainsi — toutes proportions gardées — la «pensée Heidegger» se métamorphose-t-elle (imprévisiblement, conflictuellement) dans des textes aussi différents que *Le visible et l'invisible, Totalité et infini, Le partage des voix, La fin de la modernité.* Les essais de Merleau-Ponty, Lévinas, Nancy, Vattimo remettent en question la «tradition» phénoménologique et l'herméneutique heideggerienne tout autant qu'ils l'illustrent.

28. Voir Gilles-Gaston Granger, *Pour la connaissance philosophique, op. cit.*, en particulier les chap. 1, 6, 7 et 8.

L'«accouplement» du structuralisme et d'un certain anti-humanisme heideggerien fut peut-être bizarre ou même monstrueux ; il enseigna cependant, comme l'a montré Foucault[29], que la figure de l'*auteur* n'est qu'*une* des distributions du discours. A toujours revenir à Gustave, on risque d'être obsédé par son hypocondrie, fût-elle projetée sur Emma ; et, de miroir en miroir, de ne plus avoir d'attention suffisante envers les surimpressions fantasmatiques et les contrepoints stylistiques de Flaubert. Que l'homme Heidegger soit honoré ou honni (et quoi que nous révèle une éventuelle biographie psychanalysante qui ne saurait manquer d'être produite avant l'an 2000), une fois traversée l'épreuve critique qu'est la confrontation avec la question politique, des pans entiers de textes signés Heidegger sollicitent encore la patience de la lecture ; et l'interrogation devra s'encorder à des questions comme celles-ci : la métaphysique se laisse-t-elle déchiffrer selon un discours unifié ? quel lien entre le caractère métaphysique des langues occidentales et notre ethnocentrisme ? la pensée peut-elle trouver, comme telle, une unité dans le seul questionnement ? comment s'articulera-t-elle avec le projet critique ? Du temps, que retenir de plus décisif : l'irréversibilité ou la donation ? et si la rationalité est notre partage, est-elle en droit (et en devoir) de transcender intégralement les conditions de sa provenance ?

La question éthique doit être alors retrouvée, sans minimiser la difficulté de la pensée heideggerienne à lui donner un statut positif. En souci de l'être et de son habitation pensante et poétique, la pensée heideggerienne se rétracte devant toute formalisation de l'impératif éthique, ainsi que devant ses expressions et articulations positives. Est-ce, comme le croit Lévinas, en raison de la neutralisation opérée par le regard ontologique ? Ce n'est pas principalement l'ontologie qu'il faut mettre en cause en ce point ultra-sensible, mais le *destinal*. Quand ce dernier s'impose inconditionnellement, il vient prendre la place — et usurper le recours — de l'impératif éthique. Telle est la logique (nous croyons en avoir circonscrit le tour abusif) du renversement de la métaphysique (elle-même préalablement unifiée). L'envoi historial requiert

29. Voir Michel Foucault, *L'ordre du discours*, Paris, Gallimard, 1971, pp. 28-29.

la réponse de la pensée : hors de cette correspondance, point de possible. Mais si le caractère *inconditionnel* du destinal est levé (et si l'allégeance directement ontologique de l'histoire est suspectée), l'impératif rationnel pratique redevient possible sous une forme nouvelle. C'est le respect de la différence ontologique en l'homme qui s'offre comme le critérium déterminant de la praxis. L'autonomie du sujet rationnel n'est plus elle-même présupposée absolue, mais devient la condition principale d'accès au sens de la différence. L'impératif de respect de la différence est rationnellement pur ; mais il joue dans le tremblement de l'historicité : la conscience de ce que la rationalité est partage ôte à celle-ci sa superbe et son abstraction intemporelle.

Cette perspective éthique se propose maintenant au terme d'une critique du caractère inconditionnel de l'historialisme destinal heideggerien.. Il faut encore en préciser brièvement l'allure. D'un côté, l'impératif, n'étant plus métaphysique (du moins, pas au sens de la métaphysique spéciale), n'est plus déductible absolument *a priori* et rien n'assure qu'il doive postuler des idéaux transcendants et annoncer le règne des fins ; mais, de l'autre côté, la critique rationnelle vient contester toute imposition factuelle immédiate ou toute totalisation précipitée d'un principe époqual ; elle rappelle le pur tranchant d'une différence que la rationalité peut sauvegarder. Le devoir ne s'impose plus comme une unité à la fois monumentale et vide ; sa forme est plutôt le rappel incessant d'une limite constitutive du possible.

Si ce qui bloquait une éthique positive chez Heidegger se voit levé, il ne s'ensuit pas qu'on puisse mettre à plat et sur le même plan la contrainte destinale et l'exigence rationnelle. Comme elles jouent en partie l'une contre l'autre, la situation reste ouverte et conflictuelle. Mais si le destinal n'est pas seulement ni principalement un donné, s'il est surtout «ek-statique» (comme Heidegger l'entend expressément), le conflit entre le destinal et l'éthique ne recouvre plus du tout la distinction kantienne entre l'empirique et le rationnel ou entre le fait et le droit. L'éthique vient se loger au cœur de l'avenir et elle peut alors proposer l'appropriation la plus pure (c'est-à-dire la plus formelle), toujours ouverte, non substantialiste. Le destinal devenant une tâche est «à venir» : c'est la rationalité pratique comme partage. N'est-ce point la direction qu'indiquait Hölderlin quand il voyait en Kant le «Moïse de notre nation»[30] ? Il n'envisageait pas, semble-t-il, la suspension de la rationalité pratique, mais au contraire son inscription encore plus aiguë au cœur du destin moderne. Et ainsi la recherche si difficile du «nationnel» ne devrait pas céder à la tentation de l'*imitation* des Anciens (car «nous n'avons rien de commun avec eux»)[31] : elle devrait frapper d'interdit toute *mimesis* du type du «national-esthétisme». Même si le Heidegger des cours sur Hölderlin (dès 1934-35) se situe plus haut que la face vulgairement raciste de ce «national-esthétisme», il paraît, malgré tout, sous sa forme singulière, ne pas avoir échappé à la fascination de la *mimesis*. Et c'est alors au Hölderlin disciple de Rousseau et de Kant qu'il est infidèle : Hölderlin républicain jusqu'en son interprétation du tragique sophocléen[32].

*

30. Hölderlin, A son frère, lettre du 1er janvier 1799.
31. *Id.*, A Böhlendorf, lettre du 4 décembre 1801.
32. Voir nos réserves sur l'occultation par Heidegger du rôle de Rousseau : «Des lumières au Sacré. Remarques sur le cheminement de Hölderlin dans sa relation avec «l'esprit français»», *Hölderlin vu de France,* Tübingen, Gunter Narr, 1987, pp. 32-33.
Dans quelle mesure, aussi, Heidegger fut-il excessivement fidèle à l'idée qu'il se faisait de la religiosité des anciens Grecs ? C'est ce qu'il est sans doute souhaitable de méditer à la lumière du commentaire par Walter F. Otto de la «disculpation» d'Agamemnon (*Iliade,* XIX, 86 sq.) : «Est-il humilié ? Peut-on dire qu'il est contri ? Non, il n'y a rien de tel. Ce serait là une méconnaissance complète de la conscience morale et religieuse des Grecs de la grande époque. Si grands que puissent être les regrets que l'on a d'une erreur, et si lourdes à porter que soient ses conséquences, elle ne rabaisse pas l'homme dès lors qu'il se sait entre les mains de la divinité. Au lieu de le conduire sur le périlleux chemin de l'auto-accusation et de la condamnation de soi, la reconnaissance du faux-pas se trouve ennoblie par la connaissance du divin et elle préserve en lui la grandeur d'âme nécessaire à des actions humaines liées aux dieux de la lumière. L'homme est ainsi abrité en retrait dans la faute divine.» (Walter F. Otto, *Theophania,* trad. Roëls et Lauxerois, *Sud,* n° 71-72, 1987, p. 217).

On voit que la critique de l'historialisme destinal ne mène nullement à restaurer le rationalisme métaphysique. Tous les «retours» sont stériles[33]. Et, bien sûr, aussi celui de Heidegger comme saint ou démon de la pensée. Les faiblesses de l'homme, les limites de sa pensée du côté politique sont patentes. En ce sens l'«affaire» est saturée et il faut regarder plus loin. Leçon amère, mais vraie comme une grêle qui vous rompt le crâne : nous n'avons pas besoin d'un Heidegger pour tenir tête à la tyrannie. Comme aime à le rappeler Cornélius Castoriadis, c'est la constance de 2 + 2 = 4 qui aide le héros de *1984* à échapper à l'endoctrinement totalitaire. Le grand philosophe est tombé au fond du puits le plus visible : le rire de la paysanne avait déjà sanctionné Thalès, avant Platon, avant Heidegger. Mais ni la philosophie ni la vie ne s'arrêtent à cette rude leçon. Il ne suffit pas d'éviter la tyrannie et son cortège de désastres. Mais pour faire face, rétorquera-t-on, suffit-il d'*attendre* ?

Il a été question plus haut d'une «politique de l'attente» chez le dernier Heidegger. Cette caractérisation doit être corrigée *in extremis*. S'il y a une pierre d'attente heideggerienne, elle sous-estime et excède à la fois la politique ; sa faiblesse et son apport : maintenir une question qui concerne l'Occident en son intime. Question de civilisation, non de politique. Qu'on lise l'admirable et poignant récit qui ouvre *Le rêve mexicain,* de J.M.G. Le Clézio : on remémorera l'incroyable rapidité avec laquelle notre Europe vint à bout, en quelques années, de la civilisation aztèque : «C'est l'extermination d'un rêve ancien par la fureur d'un rêve moderne, la destruction des mythes par un désir de puissance. L'or, les armes modernes et la pensée rationnelle contre la magie et les dieux : l'issue ne pouvait pas être autre»[34] Et *cela* n'est qu'un cas parmi bien d'autres. Certes l'Occident n'est pas que cette volonté de puissance ; mais, pour penser cette cruelle différence constitutive (et son revers ethnocentrique), un philosophe comme Habermas (ana-

33. Comme l'a montré Jean-Luc Nancy dans *L'oubli de la philosophie,* Paris, Galilée, 1986.

34. J.M.G. Le Clezio, *Le rêve mexicain ou la pensée interrompue,* Paris, Gallimard, 1988, p. 11.

lyste pourtant lucide de la complexité de nos sociétés) est en défaut[35]. Ne distribuons pas trop vite réprimandes et bons points. Tant est encore à affronter, quand se pose la redoutable question de déterminer comment notre civilisation pourrait surmonter l'impérialisme mortifère qu'elle ne cesse de secréter, comment l'acquisition d'un sens de la donation (de l'altérité humaine, de la présence des choses et du déploiement du temps) pourrait suspendre le mépris des faibles, le saccage de la nature et la folle accélération de la course à la surpuissance.

Le vent qui se lève ne paraît plus porter la voix des grands prophètes et des «tragédiens de l'apparence» ; il faut tenter de vivre dans un village mondial qui songe enfin à la paix. Mais l'être, la vérité, le temps sont-ils moins énigmatiques ? La mort et le mal cessent-ils de rôder ? Les «conflits locaux» et les répressions, ici ou là, d'être moins atroces ? Et de nouveaux dangers, encore incomplètement mesurés, ne doivent-ils pas être conjurés dans le développement techno-scientifique ?

Que les rares penseurs (grands ou moins grands) soient nos dinosaures, c'est possible : à la fois infiniment précieux et trop fragiles, encombrants, monstrueux ; mais peut-être apprendrons-nous encore quelque chose en ouvrant les œufs qu'ils ont déposés au bord de nos plages polluées. Et en n'oubliant pas, sous le clignotement froid et confortable de nos machines à traiter les textes, que la philosophie a toujours à voir avec la douleur ; elle fut, elle

35. Dans sa préface à l'édition allemande du livre de Farias (trad. sous le titre *Martin Heidegger... op. cit.*), Habermas dissocie l'œuvre créatrice des compromissions biographico-idéologiques. Il ne faut pas oublier, en effet, qu'il a naguère salué *Etre et temps* comme «l'événement philosophique le plus important depuis la *Phénoménologie* de Hegel» (voir Habermas, *Profils philosophiques et politiques*, trad. fr., Paris, Gallimard, 1974, p. 90). En outre, s'il ne résiste pas à la tentation réductrice d'enfermer Heidegger dans la figure de l'inversion (de la philosophie du sujet), il perçoit l'importance décisive de l'historialisme destinal, lorsqu'il discerne ceci : «Heidegger temporalise les origines qui conservent absolument la souveraineté des premiers principes lorsqu'elles prennent la forme d'un destin immémorial. La temporalité du *Dasein* n'est plus désormais que la couronne d'une destinée de l'Etre se produisant dans le temps. Ce qui est temporalisé, c'est le premier principe de la philosophie de l'origine.» (Habermas, *Le discours philosophique de la modernité, trad. cit.*, p. 181).

reste souffrance ; elle ne sut, ne sait pas toujours y faire face. Artisanale, la pensée ? Heidegger avait raison de le rappeler. Mais aussi : *en souffrance*. Leçon de Celan à Todtnauberg : *Feuchtes viel*. Ces deux mots sont la chute du poème qui évoque la visite à Heidegger : humidité des herbes, peut-être aussi des yeux cherchant désespérément, dans l'immensité du ciel, après une «entrevue» scellée par le silence, un signe d'espoir.

> «O vous que rafraîchit l'orage, la force vive et l'idée neuve rafraîchiront votre couche de vivants, l'odeur fétide du malheur n'infectera plus le linge de vos femmes.»
>
> Saint-John Perse, *Vents*.

❋

Index des noms

❋

Table des matières

*